국민대학교 문화교차연구소
성리학의 감정과학 연구총서 5

주역의 감정분석학 I

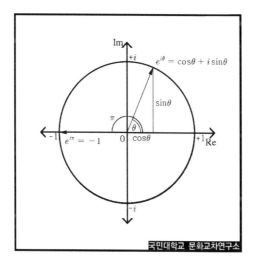

국민대학교 문화교차연구소
성리학의 감정과학 연구총서 5

주역의 감정분석학 Ⅰ

발　행 | 2024년 07월 10일
저　자 | 성동권
펴낸이 | 한건희
펴낸곳 | 주식회사 부크크
출판사등록 | 2014.07.15.(제2014-16호)
주　소 | 서울특별시 금천구 가산디지털1로 119 SK트윈타워 A동 305호
전　화 | 1670-8316
이메일 | info@bookk.co.kr

ISBN | 979-11-410-9443-0

www.bookk.co.kr
ⓒ 성동권 2024

국민대학교 문화교차연구소
성리학의 감정과학 연구총서 5

주역의 감정분석학 Ⅰ

성동권

국민대학교 문화교차연구소
성리학의 감정과학 연구총서 5

「 주역의 감정분석학 Ⅰ 」

목 차

서 문

지금 '나'에게 『주역』(周易)은 무엇입니까?

공자의 학문은 자기 '몸'의 진실을 이해하는 '위기지학'(爲己之學)입니다. '기'(己)는 지금 '나' 자신의 '몸'입니다. 공자가 자기 '몸'에 나아가 자기 '몸'을 배운 결과 자명하게 깨닫는 것은 '지천명'(知天命)입니다. 자기 스스로 자기 몸에 나아가 자기 몸의 천명(天命)을 인식하는 것이 공자가 추구한 爲己之學의 핵심입니다. 이 인식을 위해서 『대학』(大學)의 격물치지(格物致知)가 존재하며, 『중용』(中庸)은 '格物(=己)致知(=知天命)'를 '천명지위성'(天命之謂性)으로 요약합니다. 이 성(性)을 중국 송(宋) 시대 성리학(性理學)은 '본연지성'(本然之性)으로 정의합니다. 따라서 공자의 학문은 자기 몸에 고유한 본연의 본성으로서 '天命'을 인식하는 것입니다.

천명(天命) 또는 본연지성(本然之性)을 중국 남송(南宋)의 주자(朱子: 1130~1200)은 북송(北宋) 시대 성리학자 주돈이(周敦頤)의 『태극도설』(太極圖說)에 근거하여 '순수지선의 본성'으로 정의하였습니다. 이 사실을 대한민국 조선(朝鮮)의 퇴계(退溪: 1501~1570)는 자신의 저서 『성학십도』(聖學十圖)에서 다시 확인했습니다. 중국 고대의 춘추시대 공자의 유학(儒學)으로부터 중국 중세시대 송(宋)의 성리학에 이르는 학문의 핵심이 자기 몸에 고유한 영원의 필연성으로서 순수지선을 자기 스스로 인식하는 데에 있다는 것입니다. 여기에서 우리 스스로 생각해야 합니다. 몸의 본성이 순수지선이라면, 몸의 변화도 당연히 순수지선 안에 있습니다. 이로부터 다음과 같은 결론은 필연적입니다.

　몸의 변화를 '감정'으로 정의하는 한에서 몸의 본성이 영원의 필연성 안에서 순수지선이라는 사실로부터 몸의 변화로서 감정의 본성 또한 영원의 필연성으로 순수지선이다.

　위 결론에 대한 증명이 맹자(孟子)의 '사단'(四端)입니다. 공자의 학문을 충실히 계승한 맹자가 왜 갑자기 인간의 감정을 사단(四端)으로 정의하고 여기에 집중하여 논의를 전개하게 되었는지에 대한 가장 확실한 설명입니다. 맹자는 공자를 통해서 몸 그 자체의 본성으로서 순수지선의 천명을 깨달았으며, 이에 기초하여 몸의 변화인 감정도 당연히 몸 그 자체의 본성으로서 순수지선의 천명 안에 존재한다는 사실을 깨달았습니다. 맹자가 공자로부터 한걸음 더 나아간 대목은 여기에 있습니다. 중국 송(宋) 시대의 성리학자들이 '성발위정'(性發爲情)에 근거하여 퇴계 성학(聖學)의 기초가 되는 명제 '심통성정'(心統性情)을 주장하게 된 결정적인 배경입니다. 따라서 퇴계가 맹자의 '사단지심'(四端之心)을 '사단지정'(四端之情)으로 그 뜻을 분명히 밝히고, 그에 대한 설명을 '리발기수'(理發氣隨)로 요약한 것은 공맹의 유학으로부터 주자 성리학에 이르는 학문의 전체 규모를 일목요연하게 드러낸 것입니다.

　몸의 생김이 영원의 필연성 안에서 순수지선의 '천명'(天命 = 理)으로 결정되어 있다면, 당연히 몸의 변화로서 감정 또한 영원의 필연성 안에서 순수지선의 '천명'(天命 = 理)으로 결정되어 있다는 것입니다. 이것이 '리발'(理發)입니다. 이 진실로부터 우리가 구체적인 공간과 시간 속에서 무한한 방식으로 무한하게 느끼며 경험하는 모든 감정은 단 하나의 예외 없이 절대적으로 순수지선의 '천명'(天命 = 理)으로 결정되어 있다는 결론이 필연적입니다. 이것이 '기수'(氣隨)입니다.

우리는 몸으로 생겨나 몸으로 살아갑니다. 미래의 인류가 어떤 모습으로 살아가게 될지 알 수 없으나, 몸으로 생겨나 몸으로 살아간다는 이 명제는 지금 '나'에게는 절대적인 진실입니다. 다른 말로 하면 우리는 매순간 무한한 방식으로 무한한 감정의 변화를 느끼며 살아간다는 것입니다. 지금 '나'의 감정을 떠나서 그 어떤 것으로도 지금 '나'의 존재를 규정할 수 없습니다. 그렇기 때문에 지금 '나'의 감정에 대한 올바른 인식이 곧 지금 '나' 자신에 대한 올바른 인식입니다. 이 인식을 추구하는 것이 공맹의 유학(儒學)으로부터 주자의 성리학(性理學)을 지나 퇴계의 성학(聖學)에 이르는 학문의 핵심입니다. 이 학문을 국민대학교 일반대학원 문화교차학과는 '감정과학'으로 다시 확인하며 21세기 학문론으로 제시합니다.

다시, 우리의 논의를 공자의 유학으로 돌아갑시다. 공자의 학문은 자기 스스로 자명하게 이해하는 자기 몸의 진실로서 천명의 순수지선을 이해하는 것입니다. 이 이해를 추구하는 공자가 가장 열심히 공부한 텍스트는 『주역』(周易)입니다. 그 유명한 '위편삼절'(韋編三絶)의 고사가 바로 여기에서 유래하였습니다. 고대의 책은 지금과 같은 종이가 아니라 대나무를 얇게 쪼개어 가죽 끈으로 묶은 다음 그곳에

글을 기록하였습니다. '위편'(韋編)은 대나무 조각을 가죽(韋) 끈으로 엮었다(編)는 뜻이며, '삼절'(三絶)은 그 가죽 끈이 세 번 끊어졌다는 뜻입니다. 이로부터 우리는 두 가지 경우를 생각해 볼 수 있습니다.

① 학문의 핵심을 위기지학으로 확인한 공자가 이 진실을 주역에서도 확인했다.
② 공자는 주역을 열심히 읽은 이후 학문의 핵심이 위기지학에 있다는 사실을 확인했다.

우리가 상상할 수 있는 것은 위 두 가지 경우이나, 어느 경우이든 분명한 것은 공자에게 주역은 자기 몸에 대한 올바른 인식으로 인도하는 소중한 문서라는 사실입니다. 우리는 맹자의 사단에 근거하여 주역에 대한 보다 깊은 이해를 확인할 수 있습니다. 주역은 몸의 변화인 감정에 대한 올바른 인식으로 우리는 인도한다는 것입니다. 따라서 공맹의 유학으로부터 주자의 성리학에 이르는 학문의 전통을 퇴계의 성학에 근거하여 '감정과학'으로 이해하는 '성리학의 감정과학'으로 『주역』을 분석하고 이해하는 것은 지극히 당연하고 자연스러운 것입니다. 국민대학교 문화교차연구소가 『성리학의 감정과학』에 기초하여 새로운 연구총서 시리즈 『주역의 감정분석학』을 출판하는 이유입니다.

『주역의 감정분석학』은 '주역'을 구성하는 64개의 괘사(卦辭) 및 그 각각에 속한 효사(爻辭)를 감정과학으로 분석하고 그 뜻을 밝힌 것입니다. '주역'에 대한 연구는 여러 가지 시각으로 이루어질 수 있습니다. 그렇기 때문에 『주역의 감정분석학』은 그 가운데 하나에 불과할 뿐입니다. 그러나 다음과 같은 질문은 매우 중요합니다.

지금 '나'에게 『주역』(周易)이라는 책은 무엇입니까?

'주역'을 바라보며 연구하는 여러 가지 시각은 제 나름대로 이 물음에 대한 답을 할 수 있어야 한다고 생각합니다.

이 물음에 대한 감정과학의 답은 간단합니다. '나'는 몸으로 생겨나서 몸으로 살아가기 때문에 몸의 변화인 감정에 대한 올바른 인식이 곧 몸으로 살아가는 '나' 자신에 대한 올바른 인식이라는 결론은 필연적입니다. 그러한 한에서 감정으로 존재하는 '나'에 대한 올바른 인식을 위해서 '나'는 주역을 공부합니다.

'감정과학'에 기초한 주역 연구를 『주역의 감정분석학』으로 부르는 이유입니다. '나'와 단절된 연구 대상으로서 '주역'이 아니라 지금 '나'의 감정 이해가 '주역'에 있기 때문에 '주역'을 연구합니다. 이러한 연구 방법 또는 연구 정신은 공자의 '위기지학'에 근거합니다. 공자는 주역을 자신과 무관한 연구 대상 내지는 해석 대상으로 취급하지 않았습니다. 자기 몸에 대한 올바른 인식을 추구하는 공자는 주역에서 공자 자신의 자기 이야기를 보았습니다. '위편삼절'(韋編三絶)이 증거입니다. 만약 주역이 공자를 자기 몸에 대한 자기 이해로 인도하지 않았다면, 공자에게 주역은 아무런 중요성을 갖지 않습니다. 그렇기 때문에 우리가 감정과학을 연마하는 한에서 우리 각자가 주역에서 자기 이야기를 확인하면, 그것이 곧 주역에 대한 올바른 공부 방법입니다. 이 공부가 『주역의 감정분석학』입니다.

서문 1: 주역의 '감정분석학' 출판 소개

국민대학교 문화교차연구소의 '연구총서 시리즈' 《성리학의 감정과학》은 중국 남송(南宋) 시대의 철학자 주자(朱子, 1130~1200)에 의해서 학문론으로 정립된 '성리학'(性理學)을 '감정과학'(Science of Feelings)으로 연구합니다. '감정과학'은 감정의 현상을 선악(善惡)으로 해석하고, 이후 '악'(惡)으로 지목된 감정을 조절하거나 제어함으로써 이상적인 '선'(善)의 경지로 도달하게 하는 '목적론적 윤리학'이 아닙니다. 무한한 방식으로 무한한 감정의 현상에 나아가 그 각각에 고유한 본성의 필연성을 인식함으로써 모든 감정이 영원의 필연성 안에서 순수지선으로 존재하고 있다는 사실을 확인하는 학문론이 '감정과학'입니다.

'성리학'의 본질을 '감정과학'으로 규명하는 것은 현대적 '재해석'이 아닙니다. 주자의 성리학을 충실히 계승함으로써 그 본질을 명확하게 밝힌 조선 시대 성리학자 퇴계 이황(退溪 李滉, 1501~1570)의 작품인 『성학십도』(聖學十圖)에 근거하면, 성리학은 감정의 본성을 이해함으로써 감정의 순수지선을 이해하는 '감정과학'입니다. 퇴계 선생님은 『성학십도』(聖學十圖)의 「제6도 심통성정도(心統性情圖)」의 '중도'(中圖: 두 번째 그림)와 '하도'(下圖: 세 번째 그림)에서 성리학(性理學)의 핵심을 다음과 같이 요약했습니다.

其中圖者。就氣稟中指出本然之性不雜乎氣稟而爲言。子思所謂天命之性。孟子所謂性善之性。程子所謂即理之性。張子所謂天地之性。是也。其言性旣如此。故其發而爲情。亦皆指其善者而言。如子思所謂中節之情。孟子所謂四端之情。程子所謂何得以不善名之之情。朱子所謂從性中流出。元無不善之情。是也。其下圖者。以理與氣合而言之。孔子所謂相近之性。程子所謂性卽氣氣卽性之性。張子所謂氣質之性。朱子所謂雖在氣中。氣自氣性自性。不相夾雜之性。是也。其言性旣如此。故其發而爲情。亦以理氣之相須或相害處言。如四端之情。理發而氣隨之。自純善無惡。必理發未逐。而掩於氣。然後流爲不善。七者之情。氣發而理乘之。亦無有不善。若氣發不中。而滅其理。則放而爲惡也。夫如是。故程夫子之言曰。論性不論氣不備。論氣不論性不明。二之則不是。然則孟子，子思所以只指理言者。非不備也。以其幷氣而言。則無以見性之本善故爾。此中圖之意也。

위에 제시된 원문의 뜻을 번역하면 다음과 같습니다. (원문에 대한 직역이 아니라 원문이 품고 있는 뜻을 번역하면 아래와 같습니다.)

우리가 우리 자신의 몸에 나아가 몸 그 자체의 본성인 '성리'(性理: 子思所謂天命之性。孟子所謂性善之性。程子所謂卽理之性。張子所謂天地之性。)를 명백하게 인식하면, 이로부터 우리는 몸이 느끼는 감정 그 자체의 본성인 '정리'(情理: 子思所謂中節之情。孟子所謂四端之情。程子所謂何得以不善名之之情。朱子所謂從性中流出。元無不善之情。)를 영원의 필연성으로 인식하게 됩니다.

이 인식 덕분에 우리는 감정의 무한 양태인 정기(情氣)를 감각적 현상에 의존하여 그것의 선악(善惡)과 시비(是非)를 판단하는 인식의 오류에 빠지지 않게 됩니다. 감정의 무한 양태인 정기(情氣)는 본래부터 자기 안에 정리(情理)를 품고 있다는 사실이 성리(性理)에 의해서 진리의 필연성으로 분명합니다. "如四端之情。理發而氣隨之。自純善無惡。"의 뜻입니다.

그러므로 우리가 이 사실을 이해하고 믿는 한에서 우리는 정기(情氣)에 나아가 정리(情理)를 명명백백하게 인식해야 합니다. 그 결과 우리는 무한한 방식으로 무한하게 존재하는 정기(情氣)가 단 하나의 예외 없이 본래부터 최고의 완전성 안에서 순수지선으로 존재한다는 사실을 명석하고 판명하게 이해하게 됩니다. "然則孟子, 子思所以只指理言者。非不備也。以其并氣而言。則無以見性之本善故爾。此中圖之意也。"의 뜻입니다.

합리기(合理氣)의 성(性: 몸)에 나아가 '성리'(性理: 몸 그 자체의 본성)를 명확히 인식하는 것이 매우 중요합니다. 이 인식에 기초하여 몸이 느끼는 감정으로 살아간다는 사실을 공리(公理)로 요약한 '성발위정'(性發爲情)에 근거하여 분석하면, 정(情)도 당연히 합리기(合理氣)로 존재한다는 사실이 연역됩니다. 감정에도 리(理)가 존재한다는 사실이 분명하므로 합리기(合理氣)의 정(情)에 나아가 정리(情理)를 명확하게 인식할 수 있는 기초가 확립됩니다. 이 기초 위에서 무한한 감정을 배울 때 우리는 모든 감정이 본래부터 순수지선으로 존재하고 있다는 사실을 이해할 수 있습니다. 이 이해로부터 우리는 감정을 느끼며 살아가는 모든 것이 본래부터 순수지선의 축복 속에 존재하고 있다는 사실을 확인할 수 있습니다.

우리는 매순간 감정으로 존재하며 감정으로 살아갑니다. 이 자명한 사실에 근거하여 우리는 자신의 행복을 위해서 반드시 감정 그 자체의 진실을 묻고 배워야 합니다. 감정을 이해하는 것이 곧 우리 자신을 이해하는 것입니다. 더 나아가 세상 모든 사람과 자연의 모든 것을 이해하는 방법이 그들 각각에 고유한 감정을 이해하는 것입니다. 퇴계가 주자의 성리학 덕분에 깨닫게 된 진리입니다. 퇴계 선생님에 의하면 '성리학'은 필연적으로 '감정과학'입니다. 이 사실을 증명하기 위하여 선생님은 「제6도 심통성정도」에서 선진(先秦) 시대

의 '공맹'(孔孟)으로부터 남송(南宋) 시대의 주자(朱子)에 이르는 '유교
-성리학'의 역사를 감정과학의 역사로 다시 정리합니다.

퇴계 선생님의 주자 성리학에 대한 이해는 다음과 같이 요약됩니
다.

'성리'(性理)를 향한 배움(學)은 필연적으로 정리(情理)를 향한 배움(學)으
로 전개됩니다.

이러한 진리를 가르쳐주기 위하여 퇴계 선생님은 「제6도 심통성
정도」에서 '중도'와 '하도'를 그렸으며 그에 대한 설명을 간단명료하
게 제시했습니다. '성리학'(性理學)의 본질을 '정리학'(情理學)으로 규
명하는 퇴계 선생님의 '성학'(聖學)을 국민대학교 문화교차연구소는
'감정과학'으로 정의합니다. 국민대학교 '문화교차학과'와 이 학문을
전문적으로 탐구하는 기관인 '문화교차연구소'는 퇴계 선생님의 성학
(聖學)에 기초합니다.

그러나 매우 안타깝게도 퇴계 선생님의 『성학십도』 이후 지금에
이르기까지 선생님이 제시한 성학(聖學)의 본뜻이 무엇인지 분명하게
연구되지 않았을 뿐만 아니라 성리학(性理學)의 본질이 감정과학으로
서 '정리학'(情理學)이라는 사실 또한 분명하게 정리되지 않았습니다.
이에 국민대학교 문화교차연구소는 성리학을 감정과학으로 증명하는
총서 시리즈 《성리학의 감정과학》을 세상에 내놓습니다. 문화교차연
구소의 새로운 총서 시리즈 《성리학의 감정과학》은 이 목적을 위해
구체적으로 『성리대전』에 수록된 작품들을 선별하여 감정과학으로
증명합니다.

그동안 네 권의 책이 출판되었습니다.

1. 주돈이 태극도의 감정과학
2. 주돈이 통서의 감정과학
3. 장재 서명의 감정과학
4. 장재 정몽의 감정과학

위 네 권에 이어서 이번에는 동양 고전을 대표하는 주역(周易)을 감정과학으로 분석하는 연구총서를 출판합니다. 주역에 대한 이해와 번역은 천차만별입니다. 이와 관련된 자세한 논의는 네이버나 구글 등 검색 엔진에서 얼마든지 찾아볼 수 있기 때문에 이 귀한 자리에서 상론하지 않습니다. 그러나 이번 연구 총서『주역의 감정분석학』의 출판 의도에 대해서는 간단히 설명할 필요가 있다고 생각합니다. 지금까지 출판된 연구 총서 시리즈 '성리학의 감정과학'은 감정과학의 논리를 정립하는 데에 집중하였습니다. 이에 기초하여 주역의 괘사와 효사를 보면, 감정과학의 논리가 구체적으로 응용되는 것을 확인할 수 있습니다. 이러한 측면에서 성리학의 감정과학 시리즈 안에 '주역의 감정분석학'이라는 새로운 시리즈를 출판합니다.

'**감정분석학**'이란 감정과학의 논리에 기초하여 감정의 구체적인 양태를 그 자체에 고유한 본성의 필연성으로 인식하는 인지과학입니다. 주역은 64개의 괘로 구성되어 있으며 각각의 괘는 6개의 효사로 구성되어 있습니다. 그래서 주역은 총 384개의 효사로 구성되어 있습니다. (물론 건괘의 용구(用九)와 곤괘의 용육(用六)은 제외한 것입니다.) 주역의 괘 이름과 그것을 설명하는 괘사(卦辭)가 각 괘를 설명하는 것이라면, 각각의 괘를 구성하는 여섯 개의 효사(爻辭)는 감정의 특정 양태입니다. 주역을 감정과학으로 분석함으로써 이 학문을 '감정분석학'으로 연구하는 근본 이유입니다.

주역은 감정에 대한 타당한 인식을 추구하는 과학입니다. 감정과학에 기초하여 주역을 연구합니다. 국민대학교 문화교차연구소는 주역을 '감정분석학'으로 이해합니다. 그렇기 때문에 주역을 감정분석학으로 이해하기 위한 방법은 무엇보다도 감정과학이 무엇인지 이해하는 것입니다. 왜냐하면 주역에 담겨 있는 384가지 감정 이야기들을 감정과학으로 분석함으로써 감정에 대한 올바른 인식이 무엇인지 구체적으로 검토하는 것이 주역의 감정분석학이기 때문입니다. 그러므로 두 번째 서문에서는 이전의 연구 총서 시리즈와 같은 방식으로 감정과학에 대한 장르분석을 정리합니다. '감정과학'은 논리학입니다. 이 논리가 없으면 주역의 감정분석학을 이해할 수 없습니다.

국민대학교 문화교차연구소장
성동권 올림.

서문 2: 감정과학의 '성리학 장르' 분석

성리학(性理學)

성리학(性理學)은 말 그대로 '성리'(性理)를 배우는 '학문'(學)입니다. 여기에서 다음과 같은 질문이 성립합니다.

'성리'(性理)는 무엇입니까?
'성'(性)은 무엇입니까? '리'(理)는 무엇입니까?

이 질문들에 대한 '감정과학'의 대답은 매우 간단합니다.

성리학(性理學)은 '몸의 생김'(性)에 고유한 '본성의 필연성'(理)을 배운다(學). 몸의 영원한 진실(性理)를 배우는 학문이 성리학이다.

우리는 '몸'으로 살아갑니다. 지금 우리 자신의 몸이 존재하지 않는다면, 그 어떤 것으로도 우리 자신의 존재를 확인할 수 없습니다. 이것은 우리 자신만의 진실이 아니라 자연 전체의 진실입니다. 자연의 모든 것은 자신의 몸으로 살아가며, 그렇게 존재하는 모든 몸은 자신과 무한히 다른 몸과 함께 무한한 방식으로 무한하게 교차하며 살아갑니다. 그렇기 때문에 무엇보다도 '몸'이 진실로 소중합니다. 몸을 절대로 함부로 해서는 안 됩니다. 성리학은 이 사실을 '경신'(敬身)으로 요약합니다. 자기 스스로 자기 몸을 존경하고 고마워하는 것이 학문의 시작이자 끝입니다.

학문의 핵심은 지금 우리 자신의 몸입니다. 그런데 몸이 생겨나지 않으면 몸으로 살아간다는 것은 '절대적'으로 성립할 수 없습니다. 몸이 생겨나야 몸으로 살아갈 수 있습니다. 이로부터 '생김'이 '살아가기'에 앞선다는 사실은 자명합니다. 이 자명한 진리에 근거하여 우리는 몸에 대한 이해를 '생김'과 '놀이'로 나누어 이해할 수 있습니다. '놀이'는 생겨난 몸으로 살아가는 우리 자신의 이야기입니다. 이 이야기를 '경험' 또는 '후험'(後驗)이라 합니다. 한편, 우리 몸의 '생김'은 우리 자신의 몸으로 경험하는 '놀이'에 앞선 것이므로 이와 관련된 이야기를 '선험'(先驗)이라 합니다. '경험(驗)에 앞서서(先)'를 뜻합니다. 따라서 우리는 다음과 같이 개념을 정의할 수 있습니다.

① 몸-생김: 선험(先驗)
② 몸-놀이: 후험(後驗)

선험(先驗) X 후험(後驗)

생겨난 몸으로 살아가는 우리 자신의 이야기를 '몸-놀이' 또는 '후험'(後驗)으로 정의할 때, 그것의 진실은 무엇일까요? 이 물음에 대한 답은 당연히 몸으로 살아가는 우리의 삶에서 찾아야 합니다. 우리의 삶을 떠나서 답을 구할 수 있다는 생각은 터무니없는 것입니다. 왜냐하면 질문의 요지는 '후험'으로서 지금 우리 자신의 몸-놀이가 품고 있는 실상이 무엇인지 묻는 것이기 때문입니다. 이 사실에 근거하여 우리 스스로 생각해 보면, 몸으로 살아간다는 것은 실질적으로 몸의 무한 변화를 경험하는 것입니다. 우리의 몸은 단 한 순간도 쉬지 않고 자기 스스로 무한히 변화하며, 동시에 무한히 변화하는 다른 몸과의 교차를 통해서도 무한하게 변화합니다.

다음으로 몸의 무한 변화에 나아가 그 모든 변화의 '순간'에 대해서 생각해 보면, 그것은 사실상 '감정'입니다. 예를 들어서 우리는 어느 순간 '배고픔'을 느끼기도 하며, 또 다른 어느 순간 '피곤함'을 느끼기도 합니다. 우리는 몸의 순간 변화를 '배고픔' 또는 '피곤함'이라는 감정으로 확인합니다. 친구와의 만남도 마찬가지입니다. 길을 걷다가 갑자기 친구를 만나면 우리 몸은 '기쁨'이라는 감정으로 순간 변화하며, 우리의 마음은 그 감정을 자각합니다. 이처럼 몸으로 살아가는 우리의 일상인 몸-놀이에 대해서 우리 스스로 생각해 보면, 몸-놀이의 실상은 몸의 무한 변화인 '감정'이라는 것을 알 수 있습니다. 따라서 몸-놀이의 후험(後驗)을 다음과 같이 보다 구체적으로 정의할 수 있습니다.

② 몸-놀이: 후험(後驗) = 감정(情)

위의 정의에 입각하여 몸-생김의 '선험'(先驗)에 대해서 생각해 봅시다. 몸-놀이에 앞서는 몸-생김의 진실은 무엇일까요? 이 질문에 대한 답을 우리 자신의 몸 밖에서 구할 수 있다고 생각한다면, 이 또한 터무니없는 착각입니다. 왜냐하면 지금 우리의 질문은 우리 자신의 몸-생김에 대한 것이기 때문입니다. 이 대목에서 우리 스스로 생각해야 합니다. 우리 자신의 몸은 어떻게 생겨난 것일까요? 이 물음에 대한 답은 어린이도 할 수 있습니다. 오히려 어린이가 더 쉽게 답할 수 있는 문제입니다. 무엇일까요? 정답은 '엄마아빠의 사랑'(정확히 말해서 'sex')입니다. 엄마아빠의 '사랑'이 아니면 '지금' 우리의 몸은 절대적으로 생겨날 수 없습니다.

영원의 필연성으로 지금 우리의 몸은 '엄마아빠의 사랑'으로 생겨납니다. 여기에는 그 어떤 우연성이나 가능성이 없습니다. 절대적인 영원의 필연성 안에서 엄마아빠의 사랑이 지금 우리의 몸을 생겨나게 했습니다. 그렇기 때문에 우리가 몸-생김의 실상을 지금 우리 자신의 몸으로 이해하는 한에서 몸-생김의 진실은 '엄마아빠의 사랑'입니다. 우리의 몸은 현상적으로 얼마든지 엄마의 몸 또는 아빠의 몸으로 존재하지 않을 수 있습니다. 세상에 부모가 되지 못한 사람은 여러 이유로 많습니다. 그러나 우리의 몸은 절대적으로 엄마아빠의 사랑으로 생겨납니다. 이 사랑(sex), 즉 '부모의 사랑' 없이 생겨난 자식의 몸은 절대적으로 존재하지 않습니다.

이상의 논의에 기초하여 몸-생김의 선험(先驗)을 다음과 같이 보다 구체적으로 정의할 수 있습니다. 앞에서 정의한 몸-놀이의 후험(後驗)과 함께 보겠습니다.

① 몸-생김: 선험(先驗) = 엄마아빠의 사랑(sex)
② 몸-놀이: 후험(後驗) = 감정(情)

몸-생김의 선험(先驗)에 고유한 진실로서 '엄마아빠의 사랑(sex)'을 성리학(性理學)은 '성'(性)으로 정의합니다. 왜냐하면 이 사랑이 지금 내 몸의 존재를 결정하는 단 하나의 영원한 필연성이기 때문입니다. 이 정의를 두고 현대 성리학을 연구하는 학자들이 수많은 반론을 제기할 수 있지만, 이 문제는 쉽게 해결됩니다. 다음에 제시하는 성리학(性理學)의 기본 공리(公理)로 논의를 시작하겠습니다.

성발위정(性發爲情)

정(情)은 성(性)과 절대적으로 떨어질 수 없습니다. 그리고 이 둘 사이에 있는 '발위'(發爲)에 근거하면 당연히 성(性)은 정(情)에 앞섭니다. 정(情)에 대한 정의는 앞에서 충분히 증명하였듯이 몸-놀이의 '후험'(後驗)입니다. 이로부터 성(性)에 대한 정의는 '성발위정'(性發爲情)에 근거하여 몸-놀이의 '후험'(後驗)에 앞서는 '선험'(先驗)으로서 '몸-생김'이라는 사실이 명백하게 연역됩니다. 몸이 생겨나지 않으면 몸으로 하는 놀이는 상상할 수 없기 때문에 이 연역은 자명한 진리입니다. 그런데 몸-생김의 진실은 이미 논한 바와 같이 '엄마아빠의 사랑(sex)'입니다. 따라서 성(性)을 엄마아빠의 사랑으로 이해하는 것은 기하학적 질서의 필연성에 의해서 진리의 필연성 그 자체입니다. 따라서 '성정'(性情)에 대한 다음과 같은 정의가 성립됩니다.

① 몸-생김: 선험(先驗) = 엄마아빠의 사랑(sex) = 성(性)
② 몸-놀이: 후험(後驗) = 정(情)

위의 정의를 다음과 같이 요약할 수 있습니다.

엄마아빠의 사랑(sex)에 의해서 생겨난 <u>나의 몸(性)</u>은 살아가면서 무한한 방식으로 변화하며, 그 무한 변화의 순간순간인 감정(情)의 무한으로 존재한다. 몸의 순간 변화를 우리가 감정으로 정의하는 한에서.

그런데 우리의 논의가 이 지점에 이르면, 뜻밖에 불같이 화를 내는 분들을 만나게 됩니다. 여기에는 크게 두 가지 곡절이 있습니다.

① 우리가 어린 시절 부모로부터 받은 정서적 또는 신체적 학대
: 부모로부터 학대를 당한 자식들은 엄마아빠의 사랑에 대해서 극도의 거부감을 느끼게 됩니다.

② 출생의 비밀
: 몸-생김의 본질로 존재하는 엄마아빠의 사랑을 둘러싼 이야기에는 수많은 소문과 사건이 있습니다. 가장 대표적으로 '금수저' '흙수저' 같은 '수저 계급론', 또는 차마 말할 수 없는 강간이나 고아 등과 같은 비극 한 가운데 엄마아빠의 이야기가 있습니다.

크게 위와 같은 두 가지 슬픔 속에 있는 자식들은 일반적으로 엄마아빠의 사랑에 대해서 극도의 거부감을 느끼게 됩니다. 이 주제는 매우 민감하고 그만큼 다루기 어려운 주제이지만, 그럼에도 불구하고 우리는 반드시 이 주제를 배워서 이해해야 합니다. 왜냐하면 몸-생김은 우리 자신의 몸을 이해하는 기초이며 동시에 행복의 기초이기 때문입니다. 이미 논의한 바와 같이 몸-놀이에 앞서는 것이 몸-생김입니다. 여기에는 엄마아빠의 사랑이 본질로 존재합니다. 이 사랑에 대한 우리의 이해가 최고의 완전성 내지는 순수지선의 아름다움이 아니라면 그 즉시 우리 몸의 생김은 불완전한 것이 됩니다. 이미 시작이 불완전이라면 몸-놀이 또한 불완전한 것입니다.

이 지점에 이르면, 몸으로 생겨나서 몸으로 살아가는 지금 우리 자신의 행복을 위한 가장 확실한 방법은 몸-생김의 진실로 존재하는 '엄마아빠의 사랑'(sex)에 대해서 타당한 인식을 형성하는 것이라는 결론이 나옵니다. 엄밀히 말해서 이 인식은 엄마아빠를 위한 것이 아니라 지금 '나' 자신의 행복을 위한 것입니다. 다시 강조하지만, 몸으로 생겨나 몸으로 살아가는 지금 '나' 자신의 행복을 위해서 엄마아빠의 사랑(sex)을 이해하는 것입니다. 몸으로 생겨나 몸으로 살아가는 지금 '나' 자신의 행복을 떠나서 엄마아빠의 사랑에 대해서 논의하지 않습니다. 이점이 매우 중요합니다.

선험(先驗): 성(性)

우리가 이 논점의 중요성을 이해하면, 앞에서 다룬 두 가지 문제는 뜻밖에 쉽게 해결됩니다. 자식들이 부모로부터 학대를 받았다고 할 때, 이것은 엄격히 말해서 '몸-놀이'의 사건입니다. 몸으로 살아가는 자식이 부모와의 '관계'에서 겪은 자신의 경험입니다. 그런데 '엄마아빠의 사랑(sex)'에 관하여 그 자체만을 두고 보면 이것은 몸-생김을 뜻합니다. '선험'(先驗)의 성(性)입니다. 몸-놀이의 '후험'(後驗)이 아닙니다. 그렇기 때문에 자식이 부모로부터 받은 상처로 인해 자기 몸의 생김에 있는 엄마아빠의 사랑을 부정하는 것은 사실상 선험(先驗)을 후험(後驗)으로 잘못 이해하는 것입니다. 이는 '뒤'(後驗)에 있는 것을 '앞'(先驗)에 두는 모순입니다.

몸의 생김과 놀이에 대한 정의를 다시 봅시다.

① 몸-생김: 선험(先驗) = 엄마아빠의 사랑(sex) = 성(性)
② 몸-놀이: 후험(後驗) = 정(情)

지금 우리가 논의하는 것은 몸-생김의 진실로 존재하는 엄마아빠의 사랑(sex)입니다. 이 사랑이 아니라면 그 어떤 자식의 몸도 생겨날 수 없습니다. 그렇기 때문에 부모로부터 받은 상처나 학대를 경험한 자식이 그것을 근거로 이 사랑을 부정한다면, 이것은 사실상 자기 스스로 자기 존재를 부정하는 것입니다. 이는 몸-놀이의 비극이 몸-생김의 비극으로 옮겨 가는 보다 더 큰 비극입니다. 이때 어떤 학문이 우리 스스로 몸-생김에 대한 타당한 인식을 확립함으로써 우리 몸의 생김과 놀이를 최고의 완전성과 행복으로 이해할 수 있다고 주장한다면, 한번은 이 학문에 대해서 경청할 필요가 있지 않을까요? 이 학문이 지금 우리가 공부하는 '성리학의 감정과학'입니다.

다음으로 출생의 비밀에 대해서 생각해 봅시다. 우리 스스로 차분히 생각해 보면, 이 문제도 앞에서 다룬 오류 안에 있습니다. 지금 우리가 논의하는 것은 몸-생김의 '선험'(先驗)으로써 엄마아빠의 사랑(sex)입니다. 가장 중요한 것은 지금 '나'의 몸-생김에 관하여 '선험'으로 존재하는 '엄마아빠의 사랑'입니다. 이 논점을 분명히 하고 위에서 제시한 정의를 보다 단순하게 하면 다음과 같습니다.

① 몸-생김 = 선험(先驗) = 성(性)
② 몸-놀이 = 후험(後驗) = 정(情)

지금 '나'의 몸-생김에 대한 이야기로서 '출생의 비밀'은 선험(先驗)의 성(性)이 맞습니다. 엄마아빠의 이야기이기 때문에 그렇습니다. 그러나 이 이야기는 엄밀히 말해서 나의 '경험'에 앞서는 또 다른 '경험'입니다. 나의 몸을 생기게 한 '엄마아빠'와 관련된 경험입니다. 예를 들어서 부유한 남자와 가난한 여자가 서로 만나서 사랑한 것이 지금 내 몸의 생김에 있는 이야기일 수 있고, 극단적으로 어떤 남자로부터 강간을 당한 여자가 지금 내 몸의 생김에 있는 이야기일 수 있습니다. 결국 '출생이 비밀' 등 지금 '나'의 몸과 관련된 생김의 이야기는 선험(先驗)의 성(性)에 있는 것 같지만, 그것의 실상은 후험(後驗/ 경험)에서 나오는 이야기입니다.

그런데 우리가 논의하는 것은 후험(後驗)에 앞서는 또 다른 후험(後驗)이 아닙니다. 후험(後驗)에 앞서는 선험(先驗)입니다. 우리의 생각에 여기에 이르면, 선험(先驗)에 대한 이해와 관련하여 두 가지 논점이 생성됩니다.

① 선험(先驗)
: 후험(後驗)에 앞서는 <u>후험(後驗)으로서 선험</u>

② 선험(先驗)
: 후험(後驗)에 앞서는 <u>선험(先驗) 그 자체로서 선험</u>

위 두 가지 선험(先驗) 중에서 어느 것이 진정한 '선험'일까요? 선험(先驗)은 말 그대로 '경험에 앞선'을 뜻합니다. 이때 선험을 챙긴다면서 어떤 경험에 앞선 또 다른 어떤 경험으로 '선험'을 이해하면,

그것은 어떤 후험에 대하여 단순히 그보다 공간과 시간 상 앞서는 또 다른 '후험'(後驗)입니다. 어떤 공간과 시간 속에서 사건 'A'가 발생했고 그로 인해 또 다른 어떤 공간과 시간 속에서 사건 'B'가 발생했을 때, 사건 'A'는 사건 'B'에게 선험이 분명합니다. 그러나 사건 'A'는 여전히 경험 속에 있습니다. 이러한 맥락에서 '출생의 비밀'은 공간과 시간 상 선험(先驗)일 뿐, 그것은 본질은 또 다른 경험 또는 후험(後驗)일 뿐입니다.

선험(先驗)과 후험(後驗)을 이와 같은 방식으로 이해하면, 결국 이 둘은 공간과 시간 안에서 이해됩니다. 어떤 사건 A와 B가 발생했을 때, 이 둘 사이에 어느 것이 공간과 시간 상 앞에 있고 뒤에 있는지를 확인하면, 그것으로 '선험'과 '후험'이 결정됩니다. 그런데 우리가 이러한 방식으로 '선험'을 이해하면, 우리는 오직 출생의 비밀만으로 몸-생김을 이해할 수밖에 없습니다. 여기에서 뜻하지 않은 비극이 발생합니다. 어떤 사람은 평생을 숨기고 싶은 출생의 비밀로 살아가지만, 반대로 어떤 사람은 자신의 출생을 둘러싼 좋은 조건과 환경으로 살아갑니다. 몸-생김의 비극이 몸-놀이의 비극으로 옮겨가는 보다 더 큰 비극이 발생합니다.

이상, 몸-생김의 선험(先驗)으로 존재하는 '엄마아빠의 사랑(sex)'을 이해함에 있어서 발생하는 대표적인 오류 두 가지를 살펴보았습니다. 감정과학이 이 이해를 '오류'로 명명하는 이유는 무엇보다도 선험(先驗)에 대한 이해를 후험(後驗)으로 시도하기 때문입니다. 이는 논리적으로 모순입니다. 선험은 선험 그 자체로 이해해야 합니다. 우리는 얼마든지 공간과 시간의 한계 안에서 감각적으로 지각되는 어떤 사건에 대한 경험을 선험(先驗)으로 이해할 수 있지만, 이는 '후험'일 뿐입니다. 선험(先驗)을 선험 그 자체로 이해하는 것이 선험에 대한 참다운 이해입니다. 이 이해를 형성하는 능력이 우리에게 본래부터 있기 때문에 선험을 '후험(後驗)에 앞서는 <u>후험(後驗)으로서 선험</u>'으로 이해하는 것은 오류입니다.

분석(分析) X 종합(綜合)

지금 우리의 논의에서 본질적으로 중요한 것은 몸-생김의 선험(先驗)을 엄마아빠의 사랑(sex)으로 정의할 때, 이 사랑에 대한 참다운 인식이 무엇인지 탐구하는 것입니다. 엄마아빠의 사랑(sex)를 공간과 시간의 한계 안에서 감각적으로 지각할 수 있는 사건으로 접근하면, 이것은 실질적으로 자식으로 존재하는 우리의 후험(後驗)에 앞선 엄마아빠의 후험(後驗)에 불과합니다. 이 경우 우리의 선험(先驗)은 사실상 엄마아빠의 후험(後驗)입니다. 결국 앞에서 언급한 바와 같이 선험과 후험을 공간과 시간의 선후로 구분하면, 선험과 후험은 실질적으로 후험으로 수렴됩니다. 이에 따라서 후험에 앞선 선험은 갑자기 후험의 존립 기초로서 '공간과 시간'으로 드러납니다. 공간과 시간이 없으면 '엄마아빠'와 '나'의 후험이 없습니다.

이 지점에서 우리는 전혀 예상하지 못한 결론에 도달합니다. 몸-생김의 선험(先驗)으로서 엄마아빠의 사랑(sex)을 이해하려는 우리의 노력은 수포로 돌아갑니다. 몸-놀이에 앞서는 몸-생김으로서 엄마아빠의 사랑이 지금 내 몸-놀이의 후험(後驗)에 앞서는 후험(後驗)으로 간주된 이상, 이로부터 몸-생김의 선험(先驗)은 후험(後驗)의 전제 조건으로서 '공간과 시간'이라는 추상적 개념으로 제시됩니다. 왜냐하면 선험도 결국 구체적인 공간과 시간으로 감각되는 후험에 불과하기 때문입니다. 이로부터 선험은 공간과 시간이라는 추상적 개념으로 제시됩니다.

그런데 우리가 진실로 알고 싶은 것은 '엄마아빠의 사랑'입니다. 이 주제와 관련하여 뜻밖에 우리에게는 공간과 시간이라는 추상적 개념이 주어집니다. 이처럼 선험(先驗)을 후험(後驗)의 존립기초로서 추상적인 공간과 시간으로 제시하는 것이 칸트(Kant)의 '선험종합'입니다. 이에 근거하여 감정과학은 '종합'과 '선험종합'을 다음과 같이 정의합니다.

　　종합(綜合)
　　: 감각적으로 지각되는 모든 몸-놀이, 즉 후험(後驗)의 존립기초로서 '공간과 시간'

　　선험(先驗)종합(綜合)
　　: 몸-생김의 선험(先驗)으로 존재하는 엄마아빠의 사랑(sex)을 공간과 시간의 한계 안에서 감각적으로 지각되는 엄마아빠의 몸-놀이로 이해한다.
　　: 엄밀히 말해서 '선험종합'은 몸-놀이의 조건으로서 '공간과 시간'이다.

그러나 몸-생김의 '선험'(先驗)인 엄마아빠의 생명과 사랑을 '종합'(綜合)으로 이해하는 것은 다음과 같은 두 가지 이유로 모순입니다.

① 자식으로 존재하는 우리 자신의 몸에 나아가 '생김'을 생각해 보면, '공간과 시간'이 아니라 '엄마아빠'가 존재합니다. 정확히 말하자면, '엄마의 몸'과 '아빠의 몸'이 자식으로 존재하는 지금 우리 몸의 생김에 고유한 본성의 필연성입니다. 그런데 선험종합은 '공간과 시간'을 몸-생김의 선험으로 이해하고 있습니다. 따라서 이 이해는 몸-생김 그 자체의 본성이 아닙니다.

② 몸-생김은 지금 우리 자신의 몸을 향합니다. 지금 우리 '자신의 몸'에 나아가 생김(선험)을 이해하고 있습니다. 그렇기 때문에 생김(선험)에 대한 이해를 지금 우리 자신의 몸 안에서 해야 합니다. 절대적으로 우리 자신의 몸-생김을 이해함에 있어서 우리의 생각을 지금 우리 자신의 몸 밖에 두면 안 됩니다. 지금 우리 자신의 몸 안에서 몸-생김에 대해서 생각하고, 그 생각 안에서 몸-생김에 대해서 이해해야 합니다. 그런데 선험종합은 지금 우리 몸 밖에 있는 엄마아빠의 몸과 이 두 분의 사랑(sex)을 공간과 시간의 한계 안에서 감각적으로 지각되는 현상으로 이해하고 있습니다. 이 이해는 몸-생김 그 자체의 본성이 아닙니다.

위와 같이 칸트의 선험종합으로 몸-생김을 이해하는 인식의 오류를 두 가지 측면에서 접근하고 이해하는데 성공하면, 우리는 선험을 이해하기 위한 방법으로서 종합(綜合)과는 완전히 차원이 다른 방법을 발견하게 됩니다. 우리는 철두철미 공간과 시간으로 살아가는 후험(後驗)의 몸-놀이로 살아갑니다. 이렇게 후험으로 살아가는 우리가 우리 자신의 몸에 나아가 선험(先驗)에 대해서 생각해 보면, 몸-생김의 선험에 대한 우리의 생각이 **자기 안에서 자기 스스로 자명하게** 형성하는 이해가 있습니다. 이 이해를 '분석'(分析)이라 합니다. 따라서 우리는 다음과 같은 정의를 정립할 수 있습니다.

분석(分析)

: 우리 스스로 생각하는 중에 우리 자신의 생각 안에서 자명한 이해를 영원의 필연성으로 형성함.

선험(先驗)분석(分析)

: 몸-생김의 선험(先驗)으로 존재하는 엄마아빠의 사랑(sex)을 공간과 시간의 한계 안에서 감각적으로 지각하고 그에 의존하여 생각하는 것이 아니라, 지금 우리 자신의 몸에 나아가 우리 스스로 생각하는 중에 우리 자신의 생각 안에서 영원의 필연성으로 엄마아빠의 사랑(sex)을 이해한다.

: 엄밀히 말해서 '선험분석'은 엄마아빠의 영원하고 무한한 생명과 사랑이다.

몸으로 생겨나서 몸으로 살아가고 있는 우리가 지금 우리 자신의 몸에 나아가 '생김'을 이해할 때, 그 방법을 종합(綜合)으로 하면 여기에는 항상 우연성이 개입합니다. '엄마아빠의 사랑(sex)'을 종합으로 이해하면, '나는 왜 이런 부모로부터 생겨났을까?' 또는 '다른 좋은 부모 밑에서 태어났으면 좋을 텐데.'라는 생각을 하게 됩니다. 극단적으로 나아가면 부모의 존재를 부정하려고 합니다. 앞에서 다루었듯이 여기에는 무수한 곡절들이 있습니다. 그러나 그런 곡절들을 가지고 몸-생김의 본질로 존재하는 부모를 부정하게 되면, 이는 실질적으로 자기 스스로 자기 존재의 근간을 부정하는 것입니다. 결국 몸으로 살아가는 자신의 삶은 절대적으로 행복할 수 없습니다.

그러나 우리에게는 '종합'(綜合)이 아닌 '분석'(分析)이 주어져 있습니다. 우리 모두는 각자 자신의 몸으로 살아갑니다. '종합' 안에 있습니다. 우리의 몸을 낳아주신 엄마아빠도 몸으로 살아갑니다. '종합' 안에 있습니다. 그렇기 때문에 몸-생김의 선험(先驗)을 종합으로 이해하는 것은 자연스러운 것입니다. 그러나 우리는 이것을 얼마든지 분석(分析)으로 이해할 수 있습니다. 지금 우리 자신의 몸에 나아가 우리 스스로 생각해 봅시다. 우리 자신의 몸을 향한 우리 자신의 마음은 자기 안에서 자기 스스로 영원의 필연성으로 존재하는 몸-생김의 진실로서 '엄마아빠의 사랑(sex)'을 명백하게 이해합니다.

우리는 몸으로 살아갑니다. 매순간 감정을 느낀다는 것이 이 사실에 대한 증명입니다. 이 사실에 근거하여 우리 자신의 몸에 나아가 몸의 생김을 우리 스스로 생각해 보면, '엄마의 몸과 아빠의 몸이 서로 사랑한 결과 지금의 내 몸이 영원의 필연성으로 존재하도록 결정되었다.'는 사실을 명백하게 이해합니다. 여기에는 우연성이 없습니다. 이 이해는 종합이 아닌 분석에 기초하기 때문에 영원의 필연성을 속성으로 갖습니다. 왜냐하면 우리는 이 이해 이외 다른 방식으로 우리 몸의 생김을 이해할 수 없기 때문입니다. 영원의 필연성을 확인하는 것이 '분석'입니다.

엄마의 몸은 생명이며, 아빠의 몸도 생명입니다. 이 생명이 영원의 필연성으로 존재한다면, 그것의 속성은 '영원무한'입니다. 여기에는 절대적으로 죽음이 없습니다. 이 사실에 근거하여 '엄마아빠의 사랑(sex)'도 이해할 수 있습니다. 지금 우리 몸의 생김으로 존재하는 엄마아빠의 사랑은 영원무한의 생명 안에 있기 때문에, 이 사실로부터 사랑의 속성은 생명과 마찬가지로 '영원무한'입니다. 이제 우리는 몸-생김의 진실로서 엄마아빠의 존재가 영원무한의 생명이라는 사실, 그리고 이로부터 엄마아빠의 사랑 또한 영원무한의 사랑이라는 사실을 확인했습니다. 몸-생김으로서 선험(先驗)은 엄마아빠의 사랑이며, 이것은 영원의 필연성 안에서 '영원무한의 생명과 사랑'입니다.

진리의 필연성 안에서 영원무한의 생명과 사랑이 존재하며, 이 존재로부터 지금 우리의 몸이 영원의 필연성으로 생겨났습니다. 이 이해가 몸-생김에 대한 타당한 인식입니다. 감정과학은 이처럼 몸-생김의 선험(先驗)을 분석(分析)으로 이해하는 '선험분석'을 '성리'(性理)라고 정의합니다. 리(理)는 필연(必然)을 뜻하기 때문에 우리가 몸-생김의 선험(先驗), 즉 '성'(性)을 분석(分析)에 기초하여 영원무한의 필연성인 리(理)로 이해하는 한에서 '리'와 '분석'은 본질적으로 동일한 개념입니다. 선험분석(先驗分析)이 성리(性理)인 이유입니다. 드디어 우리는 서문의 첫 번째 질문으로 돌아갈 수 있고, 문제의 답을 구할 수 있게 되었습니다.

이곳 서문에서 제기된 질문은 다음과 같습니다.

'성리'(性理)는 무엇입니까?
'성'(性)은 무엇입니까? '리'(理)는 무엇입니까?

이 질문에 대한 감정과학의 답을 다음과 같이 요약할 수 있습니다.

'성'(性)은 '몸-생김'을 설명하는 '선험'(先驗)입니다. '리'(理)는 '영원의 필연성'을 이해하는 '분석'(分析)입니다. 그렇기 때문에 성리(性理)는 몸-생김의 선험(性)을 영원의 필연성(理)으로 이해하는 것입니다. 이 이해를 추구하는 학문이 성리학(性理學)입니다. 따라서 '성리학'은 영원무한의 생명과 사랑이 존재한다는 명백한 사실 안에 지금 우리의 몸이 영원의 필연성으로 생겨나도록 결정되었다는 사실을 이해하는 학문입니다.

우리가 성리학을 연마함으로써 몸-생김의 진실로서 엄마아빠의 사랑을 영원무한의 생명과 사랑으로 이해하는 것이 왜 중요할까요? 무엇보다도 이 이해가 우리 몸의 생김에 대한 올바른 이해입니다. 그리고 이 이해가 분명할 때, 선험종합(先驗綜合) 속에 있는 엄마아빠의 사랑 이야기를 이해할 수 있습니다. 선험종합으로 존재하는 엄마아빠도 결국 '몸'으로 존재하기 때문에 엄마아빠의 몸에 고유한 몸-생김의 진실은 영원무한의 생명과 사랑을 본성의 필연성으로 갖습니다. 이 대목에서는 그 어떤 출생의 비밀이나 비극 같은 것은 없습니다. 모두가 단 하나의 필연성인 선험분석 안에서 선험종합을 배워서 이해하고, 그 결과 최상의 행복을 누리게 됩니다.

우리가 선험분석을 분명하게 이해하지 못하면, 뜻밖에 부모에 대한 원망에 휩싸이게 됩니다. 그러나 영원무한의 생명과 사랑 안에서 공간과 시간 속에 있는 엄마아빠의 사랑(sex) 이야기를 이해할 때, 부모를 향한 원망은 사라집니다. 그렇기 때문에 부모(생김)를 향한 자식의 원망은 엄밀히 말해서 몸-생김의 비극이 아니라 인식의 비극입니다. 이 비극이 우리 자신을 비극으로 몰아갑니다. 출생을 비밀로 간직할 수밖에 없는 비극, 더 나아가 엄마아빠의 존재를 지우려는 비극이 발생합니다. 몸-생김에 대한 올바른 인식이 매우 중요한 이유가 여기에 있습니다. 이를 위한 유일한 방법은 '분석'입니다. 자기 안에서 자기 스스로 이해하는 영원무한의 필연성이 분석이며 리(理)입니다. 이것으로 몸-생김을 이해해야 합니다.

자기 몸-생김에 대한 분석이 분명하지 않으면, 엄마아빠의 사랑을 우연성으로 바라보며, 급기야 '좋음'과 '나쁨'이 섞인 것으로 착각하게 됩니다. 그러나 몸-생김의 선험을 분석으로 이해하면, 영원의 필연성 안에서 몸-생김의 종합은 순수지선으로 이해됩니다. 감각적 현상으로 지각된 엄마아빠의 사랑이 품고 있는 수많은 곡절들은 분석에 의해서 생명과 사랑 안에서 묻고 배워서 이해하게 됩니다. 감각적으로 지각되는 수많은 엄마아빠의 사랑 이야기를 '성리'(性理)와 구분하기 위하여 감정과학은 '성기'(性氣)로 정의합니다. 따라서 우리는 선험종합을 성기(性氣)로 정의할 수 있습니다.

'선험분석(先驗分析): 성리(性理)' X '선험종합(綜合): 성기(性氣)'

영원의 필연성으로 생명과 사랑이 존재합니다. 이 존재가 우리 몸의 생김으로 존재하는 선험(先驗) 또는 성(性)의 진실입니다. 감정과학은 이 진실을 선험분석의 성리(性理)로 정의합니다. 이 진실은 지금 몸으로 살아가고 있는 우리 자신이 자기의 몸에 나아가 생김의 진실인 엄마아빠의 사랑(sex)에 대해서 생각한 결과 자명하게 확인한 진리의 필연성입니다. 이것을 이해하는 방법이 분석(分析) 또는 리(理)입니다. 그렇기 때문에 학문의 기초는 무엇보다도 '성리학'(性理學)입니다. 핵심은 지금 우리 자신의 몸에 나아가 몸-생김에 존재하는 엄마아빠를 감각적 현상이 아닌 그 자체의 본성, 즉 영원의 필연성으로 이해하는 것입니다.

이 이해(性理)가 분명할 때, 몸-생김에 존재하는 엄마아빠의 모든 이야기들(性氣)을 참답게 이해할 수 있습니다. 자식으로 존재하는 우리가 엄마아빠의 잘못을 뉘우치며 용서할 수 있게 되며, 이로부터 우리는 엄마아빠를 원망하거나 저주하기 보다는 뜻밖에 생명과 사랑으로 이해할 수 있게 됩니다. 다른 한편으로 엄마아빠의 생명과 사랑에 대한 참다운 인식을 결여한 자식이 자신의 잘못을 뉘우칠 수도 있습니다. 결국 자기 몸에 고유한 생김의 진실인 성리(性理)가 분명할 때, 자식으로 존재하는 우리는 더 이상 감각적 현상으로 몸-생김을 이해하지 않습니다. 오히려 감각적 현상으로 지각된 몸-생김을 올바르게 배워서 올바르게 이해합니다.

영원의 필연성으로 존재하는 성리(性理)의 진실을 이해함으로써 감각적 현상으로 지각되는 엄마아빠의 사랑 이야기(性氣)를 생명과 사랑 안에서 배우는 학문이 '성리학'(性理學)의 감정과학입니다. 이 학문은 감각적 현상으로 지각되는 엄마아빠의 사랑 이야기를 '성기'(性氣)라고 부릅니다. 따라서 다음과 같은 정의를 제시할 수 있습니다.

① 선험분석(先驗分析) = 성리(性理)
: 몸-생김의 본성인 엄마아빠의 사랑 이야기를 몸 자체의 본성으로 인식함으로써 영원무한의 생명과 사랑을 몸-생김의 선험 그 자체의 진리로 이해한다.

② 선험종합(先驗綜合) = 성기(性氣)

: 몸-생김의 본성인 엄마아빠의 사랑 이야기를 몸 자체의 본성으로 인식하는 것이 아니다. 나의 후험에 앞서는 부모의 후험을 나의 선험으로 간주한다. 그 결과 엄마아빠의 사랑을 공간과 시간의 한계 안에서 감각적으로 지각되는 현상으로 이해한다.

위의 두 정의는 우리에게 선택의 문제가 아닙니다. 선험분석으로서 성리(性理)가 우리 몸-생김에 대한 타당한 인식입니다.

이 인식이 분명할 때, 선험종합으로서 성기(性氣)에 대한 타당한 인식이 확립됩니다. 자식으로 존재하는 우리는 성리(性理) 안에서 성기(性氣)를 묻고 배움으로써 그에 대한 타당한 인식을 형성할 수 있습니다. 이러한 맥락에서 보면, 성리학(性理學)은 추상적인 '관념 철학' 또는 현실을 떠난 '초월 철학'이 아닙니다. 지금 우리 자신의 몸에 나아가 생김(性)에 고유한 본성을 영원의 필연성(理)으로 인식함으로써 영원무한의 생명과 사랑을 이해하고, 이 이해에 기초하여 엄마아빠(性)의 사랑 이야기(氣)를 올바르게 배우는 학문입니다. 이 학문을 연마함으로써 우리는 자기 몸의 생김을 생명과 사랑으로 이해하며, 그와 함께 자신의 존재를 최고의 완전성으로 축복하게 됩니다.

정리학(情理學): 리발기수(理發氣隨)

우리는 몸으로 생겨나고 몸으로 살아갑니다. 이 사실로부터 우리 자신에 대한 타당한 이해는 몸에 대한 이해입니다. 몸의 진실은 '생김으로 놀이', 즉 '생겨난 대로 놀이한다.'입니다. 이 진실에 근거하여 몸에 대한 이해를 생김과 놀이로 나누어 할 수 있습니다. 이미 앞에서 정의한 바와 같이, 몸-생김을 선험(先驗)의 성(性)이라 합니다. 이것을 이해하는 방법은 분석의 '리'(理)와 종합의 '기'(氣)가 있지만, 올바른 방법은 리(理)입니다. 이 방법으로 선험의 성(性)을 이해할 때, 그때 비로소 우리는 선험의 기(氣)를 생명과 사랑 안에서 올바르게 이해할 수 있습니다.

선험의 성(性)을 리(理)로 인식함으로써 그것의 기(氣)를 이해할 수 있다는 논리적 필연성을 다음과 같이 요약할 수 있습니다.

[성(性)]리발(理發)-[성(性)]기수(氣隨)

몸-생김의 선험(先驗)을 우리가 성(性)으로 정의할 때, 그에 대한 인식을 분석의 리(理)와 종합의 기(氣)로 나눌 수 있습니다. 이때 인식의 순서는 반드시 '리발기수'(理發氣隨)입니다. 이러한 인식의 순서가 분명하지 않으면 성리(性理)에 대한 인식에 어둡게 됩니다. 오직 감각적 현상인 성기(性氣)만으로 성(性)을 이해하게 됩니다. 내 몸의 생김으로 존재하는 엄마아빠의 사랑(sex)에 고유한 본성의 필연성인 영원무한의 생명과 사랑인 성리(性理)를 이해하지 못하면, 엄마아빠의 사랑은 공간과 시간의 한계 안에서 감각적으로 지각되는 현상(氣)적 사건(性)으로 잘못 이해됩니다. 이것은 성리학(性理學)이 추구하는 인식이 아니며, 또한 그 자체로 성(性)에 대한 참다운 인식이 아닙니다.

이제 우리는 선험분석으로서 성리(性理)에 대한 인식이 분명할 때, 선험종합으로서 성기(性氣)에 대한 타당한 이해가 정립된다는 사실을 확인할 수 있습니다. 이 사실에 근거하여 성리학의 다음과 같은 명제를 다시 봅시다.

성발위정(性發爲情)

방금 전에 우리는 성(性)에 대한 인식을 성리(性理)와 성기(性氣)로 나눈 다음, 이 둘 사이의 인식의 논리적 순서를 '리발기수'(理發氣隨)로 확인했습니다. 그렇다면 당연히 몸-놀이의 후험(後驗)인 정(情)에 대해서도 분석의 리(理)와 종합의 기(氣)라는 서로 다른 두 가지 인식이 성립한다는 결론이 영원의 필연성으로 연역됩니다. 왜냐하면 성(性)에 대한 인식을 리(理)와 기(氣)로 나눌 수 있다면, 성발위정(性發爲情)에 근거하여 정(情)에 대한 인식에 있어서도 리(理)와 기(氣)로 나눌 수 있기 때문입니다. 이는 우리가 얼마든지 감정을 감각적 현상으로 지각하며 해석할 수 있지만, 정반대로 얼마든지 그 자체에 고유한 본성의 필연성으로 이해할 수 있다는 것을 뜻합니다.

성리학(性理學)의 논리에 입각하여 생각해 보면, 이 결론은 지극히 당연한 것입니다. 몸-생김의 영원한 필연성이 영원무한의 생명과 사랑으로 분명하다면, '생김의 몸으로 놀이한다.'는 성리학의 공리인 성발위정(性發爲情)으로부터 생김의 진실로서 영원무한의 생명과 사랑은 당연히 몸-놀이의 진실로 존재합니다. 이는 기하학적 질서의 필연성 안에 있습니다. 삼각형의 본성을 따라서 우리가 삼각형을 그리는 것과 같은 이치로, 몸-생김의 본성을 따라서 몸-놀이가 이루어지는 것은 지극히 당연한 진리의 필연성입니다. 따라서 성리(性理)에 대한 인식이 우리에게 분명하다면, 이것은 정리(情理)에 대한 인식으로 증명됩니다.

이러한 진리의 필연성을 다음과 같이 정리할 수 있습니다.

성리(性理)로부터 정리(情理)의 필연성

성리학(性理學)은 반드시 정리학(情理學)으로 전개됩니다. 학문의 시작은 몸-생김의 진실을 배우는 '성리학'이지만, 그 끝은 몸-놀이의 진실을 배우는 '정리학'입니다. 결국 몸에 대한 타당한 인식이 전부입니다. 우리가 우리 자신의 몸에 나아가 생김의 진실을 '분석'으로 이해하는 한에서 이 진실은 그 즉시 놀이의 본질로 존재한다는 것을 이해합니다. 영원무한의 생명과 사랑 안에서 생겨난 몸이기 때문에 이렇게 생겨난 몸은 영원무한의 생명과 사랑 안에서 놀이합니다. 공간과 시간 속에서 무한한 방식으로 무한한 몸의 변화로서 감정은 영원의 필연성 안에서 생명과 사랑을 본성의 필연성으로 갖습니다.

이 사실을 부정하며 존재하는 감정은 절대적으로 없기 때문에 매순간 무한히 변화하는 감정을 생명과 사랑의 필연성 안에서 배워서 이해하는 것이 '정리학'(情理學)입니다. 따라서 정리학(情理學)의 논리 또한 성리학(性理學)의 논리와 동일합니다.

[정(情)]리발(理發)-[정(情)]기수(氣隨)

우리는 몸으로 살아갑니다. 이 말은 몸의 무한 변화로 살아간다는 것을 뜻합니다. 우리의 몸은 무한한 방식으로 무한히 변화합니다. 우리 스스로 가슴에 손을 올려보면, 이 사실은 지극히 자명합니다.

그런데 몸의 무한 변화는 '순간 변화'의 무한성으로 이루어져 있으며, 우리는 그 각각의 순간 변화에 대한 개념을 '감정'으로 확인합니다. 우리가 매순간 무한한 방식으로 무한하게 감정을 느끼는 이유가 바로 여기에 있습니다. 감정과학은 이것을 후험(後驗) 또는 '몸-놀이'라고 부릅니다. 감정은 절대적으로 신체적 사건이지, 엄밀히 말해서 마음의 사건이 아니라는 뜻입니다.

우리가 이 사실을 우리 자신의 몸과 감정에 근거하여 명확히 이해할 때, 감정의 무한 생성에 대한 참다운 이해가 무엇인지 감정과학에 근거하여 쉽게 이해할 수 있습니다. 우리는 감정의 무한 생성 및 변화를 공간과 시간의 한계 안에서 감각적으로 지각되는 현상(氣)이나 사건(氣)으로 바라볼 수 있습니다. 그러나 이와 정반대로 우리는 얼마든지 감정을 그 자체에 고유한 본성의 필연성으로 이해할 수 있습니다. 왜냐하면 몸-놀이는 자신에 앞서는 몸-생김에 고유한 본성을 자기 존재의 필연성으로 갖고 있으며, 우리가 몸-생김의 본성을 영원의 필연성 안에서 영원무한의 생명과 사랑으로 확인한 이상 이 진실은 몸-놀이의 본성으로 당연히 존재하기 때문입니다.

성리(性理)로부터 정리(情理)는 필연적입니다. 이 사실로부터 공간과 시간 속에서 무한한 방식으로 무한히 생겨나고 변화하는 감정의 무한성에 대한 타당한 인식이 무엇인지 분명합니다. 무한한 방식으로 무한한 감정은 자신의 생성 및 변화에 관하여 자기 본성의 필연성인 정리(情理)를 영원의 필연성으로 가지고 있습니다. 그렇기 때문에 감정의 무한 변화에 대한 참다운 인식은 매순간에 고유한 본성을 영원의 필연성으로 이해하는 것입니다. 이 이해로부터 모든 감정은 순수지선으로 확인됩니다. 왜냐하면 우리가 어떤 감정에 고유한 본성을 영원의 필연성으로 확인한 이상, 그것의 존재는 절대성 그 자체이기 때문입니다.

다 좋은 세상

지금 우리 자신을 포함하여 자연 안에 존재하는 모든 몸은 성리(性理)를 따라서 존재하는 성기(性氣)에 의해서 생겨나도록 영원의 필연성으로 결정되어 있습니다. 기(氣)는 절대적으로 리(理)를 따라서 존재하며 활동합니다. 그렇기 때문에 성기(性氣)에 의해 성겨난 모든 몸은 궁극적으로 단 하나의 영원성 그 자체인 영원무한의 생명과 사랑인 성리(性理: 엄마아빠의 사랑)에 의해서 생겨났습니다. 순수지선이 아닌 다른 것으로 생겨난 몸은 절대적으로 없습니다. 몸은 '다 좋은 몸'으로 생겨납니다. 이 사실을 배우는 것이 '성리학'입니다.

이 사실로부터 순수지선이 아닌 다른 것으로 놀이하는 몸은 절대적으로 없습니다. 몸에 고유한 영원한 진실입니다. 몸은 무한한 방식으로 무한히 변화하며 그 각각에는 그에 고유한 곡절이 분명히 존재하지만, 그럼에도 불구하고 모든 감정은 자기 존재에 고유한 본성의 필연성으로서 영원무한의 생명과 사랑 안에 존재합니다. 이 사실, 즉 정리(情理) 안에서 정기(情氣)의 곡절을 이해하는 것이 감정에 대한 참다운 이해입니다. 그 결과 다 좋은 감정을 확인합니다. 이 사실을 배우는 것이 '성리학'의 '감정과학'입니다.

그러므로 순수지선으로 생겨난 몸이 순수지선의 감정으로 살아갑니다. 이 진실이 성리학의 감정과학이 이해하는 세상의 진실입니다.

지금 우리의 진실이며 동시에 천지만물에 고유한 진실입니다. 그렇기 때문에 '다 좋은 세상'은 학문의 목적이 절대 아닙니다. 다 좋은 세상은 몸의 생김과 놀이에 고유한 영원한 진실입니다. 따라서 다 좋은 세상은 만드는 것이 아니라 지금 우리 자신의 몸을 비롯해서 자연의 모든 몸에 대해서 타당한 인식을 확립하는 것입니다.

요약: 감정과학의 성리학 장르분석

'성리학'(性理學)의 감정과학은 '선험(性)-분석(理)'에 대한 명석판명의 이해를 확립하는 학문입니다. 지금 자신의 몸에 나아가 몸-생김에 고유한 본성의 필연성을 자기 스스로 자기 안에서 명백하게 이해하는 것입니다. 그 결과 영원의 필연성으로 존재하는 영원무한의 생명과 사랑을 이해하며, 이 존재로부터 지금 자신의 몸이 생겨났다는 사실을 진리의 필연성으로 이해하게 됩니다. 이 이해로부터 우리는 본래부터 최고의 행복 그 자체로 존재합니다.

이 이해가 분명할 때, 성리학은 '정리학'(情理學)으로 직결됩니다. 정리학은 '후험(情)-분석(理)'에 대한 명석판명의 이해를 확립하는 학문입니다. 지금 자신의 감정에 나아가 몸-놀이로서 감정의 생김에 고유한 본성의 필연성을 자기 스스로 자기 안에서 명백하게 이해하는 것입니다. 그 결과 영원의 필연성으로 존재하는 영원무한의 생명과 사랑을 이해하며, 이 존재로부터 지금 자신의 감정이 생겨났다는 사실을 진리의 필연성으로 이해하게 됩니다.

퇴계 이황은 『성학십도』의 제6도에서 '성리학의 감정과학'에 고유한 논리를 다음과 같이 분명하게 정리했습니다. 「서문 1」에서 이미 제시한 원문입니다. 이 원문을 분석하면 다음과 같습니다.

其中圖者, 就氣稟中, 指出本然之性, 不雜乎氣稟而爲言.

子思所謂天命之性,

孟子所謂性善之性,

程子所謂卽理之性,

張子所謂天地之性, 是也.

其言性, 旣如此故, 其發而爲情, 亦皆指其善者而言.

如子思所謂中節之情,

孟子所謂四端之情,

程子所謂何得以不善名之之情,

朱子所謂從性中流出元無不善之情, 是也.

然則, 孟子·子思, 所以只指理言者, 非不備也. 以其並氣而言, 則無以見性之本善故爾. 此中圖之意也.

'其中圖者, 就氣稟中, 指出本然之性, 不雜乎氣稟而爲言.'는 성리(性理)입니다. '其言性, 旣如此故, 其發而爲情, 亦皆指其善者而言.'은 정리(情理)입니다. 합리기(合理氣)의 성(性)에 나아가 본연지성(本然之性)을 이해한다는 것은 성(性) 그 자체의 본성을 이해하는 것입니다. 이 이

해가 '指理를'입니다. 이것이 바로 '선험(性)-분석(理)'입니다. 모든 몸은 순수지선으로 생겨났다는 것을 확인합니다. 그렇기 때문에 성(性)을 선험분석으로 인식한 이상, 정(情)에서도 선험분석으로 인식할 수 있다는 것이 '指其善'입니다. '性之本善'을 확인한 이상, 감정(情)에서도 그와 똑같은 방식으로 이해할 수 있다는 뜻입니다. 성(性)을 분석의 리(理)로 이해할 수 있다면, 당연히 감정(情)에 대해서도 분석의 리(理)로 이해할 수 있다는 것입니다. 그 결과 깨닫게 되는 것은 '다 좋은 세상'입니다.

이상의 논리가 우리가 퇴계의 『성학십도』에 근거하여 깨닫게 되는 '성리학의 감정과학'입니다. 사실상 지금까지 전개된 모든 논의들이 이 학문의 논리에 기초하고 있습니다. 그렇기 때문에 성리학(性理學)은 감정과학으로서 정리학(情理學)이며, 이것은 역으로도 성립합니다. 情理學이 性理學을 이해하는 기초이자 방법입니다. 이 사실이 분명할 때, 성리학을 감정과학으로 확인하는 방법은 감정과학의 논리에 근거하여 성리학을 이해하는 것입니다. 이 이해가 '감정과학의 '성리학 장르' 분석'입니다.

연구총서 시리즈 《주역의 감정분석학》은 퇴계 선생님이 『성학십도』에서 제시한 감정과학의 논리에 기초합니다. 감정과학에 의하면 학문의 핵심을 네 가지 장르로 요약할 수 있습니다. 이와 관련된 자세한 설명은 『서문 2』에서 충분히 다루었으므로 여기에서는 네 가지 장르의 핵심만을 제시하겠습니다.

성리(性理: 선험분석)	정리(情理: 후험분석)
성기(性氣: 선험종합)	정기(情氣: 후험종합)

감정과학에 근거한 학문의 네 가지 장르를 확인하면, 감정과학의 논리를 쉽게 알 수 있습니다. 그것은 '리발기수'(理發氣隨)입니다. 성(性)에서도 오직 '리발기수'이며, 정(情)에서도 오직 '리발기수'입니다.

그런데 여기에서 우리가 절대 혼동하면 안 되는 것은 '리발기수'는 두 개로 존재하는 것이 아니라는 사실입니다. 선험분석의 성리(性理)가 후험분석의 정리(情理)로 존재하기 때문에 리(理)는 단 하나이며, 그렇기 때문에 리발기수는 단 하나의 리(理)가 성(性)과 정(情)을 일관합니다. 그리고 단 하나의 리(理)는 무한한 방식으로 무한하게 생겨나는 몸의 성기(性氣)와 무한히 생겨나는 몸의 변화로서 감정의 정기(情氣)에 존재합니다. 그렇기 때문에 단 하나의 리(理)는 동시에 무한한 기(氣)에 고유한 필연성으로 존재합니다. 단 하나의 리(理)가 동시에 무한한 리(理)로 존재합니다.

이 주제는 기하학으로 쉽게 이해할 수 있습니다. 가장 간단하게 삼각형을 예로 들어 봅시다. 삼각형은 '세 개의 내각과 그 총합은 180도'를 영원의 필연성으로 갖습니다. 이 본성(理)을 따라서 무한한 방식으로 무한하게 삼각형이 생겨나고 동시에 우리는 이 본성(理)을 따라서 삼각형을 그립니다. 이때 삼각형은 '직각 삼각형'으로 생겨날 수도(그릴 수도) 있고, '이등변 삼각형'으로 생겨날 수도(그릴 수도) 있습니다. 삼각형의 무한 생김과 놀이를 두 개로 예를 들었습니다. 그런데 '직각 삼각형'은 그에 고유한 본성의 필연성이 있으며, '이등변 삼각형'도 그러합니다. 모든 삼각형은 본성의 필연성을 따라서 생겨나고 놀이한다는 사실에서 보면, 필연성은 영원성 그 자체로 단 하나입니다. 그러나 그것은 동시에 무한한 삼각형 각각에 고유한 본성의 필연성으로 무한히 존재합니다. 이것으로 리(理)를 쉽게 이해할 수 있습니다. 리(理)는 단 하나의 영원이면서 동시에 무한입니다.

감정과학이 제시하는 네 가지 장르와 여기에 고유한 논리를 확인하고 나면, 『주역』의 괘사(卦辭)와 효사(爻辭)를 분석하는 방법은 감정과학의 논리에 있습니다. 특히 주역의 효사를 감정과학으로 분석할 때, 이것은 구체적인 감정을 분석하는 것이므로 특별히 이번 연구 총서를 '감정분석학'으로 부릅니다. 지금까지 출판된 성리학의 감정과학 시리즈 및 그 근간이 되는 퇴계의 감정과학으로서 성학(聖學)에 기초하여 주역을 연구합니다. 이 이유로 성리학의 감정과학 안에 주역의 감정분석학을 새로운 연구 총서로 분류했습니다. 이 연구 목표와 관련하여 다음과 같은 책과 논문을 참고 문헌으로 제시합니다.

성리학의 감정과학 연구총서

1. 『주돈이 태극도설의 감정과학』
2. 『주돈이 통서의 감정과학』
3. 『장재 서명의 감정과학』
4. 『장재 정몽의 감정과학』

유교문화 감정과학 연구총서

1. 『유교문화의 정초 공자의 감정과학』
2. 『유교문화의 학문 대학의 감정과학』
3. 『유교문화의 미학 중용의 감정과학』

스피노자 윤리학 연구총서

1. 『감정으로 존재하는 신』
2. 『신의 존재를 증명하는 감정』
3. 『욕망의 이성』
4. 『감정의 예속과 자유』
5. 『신을 향한 지적인 사랑』

연구 논문

- 기하학적 질서에 따라 증명된 思學의 사단지정과 不思不學의 칠자지정, 한국문화94(kci), 서울대학교 규장각(2021).
- 성학십도 심통성정도의 중도의 장르분석, 퇴계학논집25(kci), 퇴계학연구원(2019).
- 기하학적 질서에 따라 증명된 퇴계 선생의 경(敬), 퇴계학논집19(kci), 퇴계학연구원(2016).

국민대학교 문화교차학과 학위 논문

- 박사학위

1. 2023, 유효통, 『감정과학에 기초한 중국 고대 회화 미학의 감정 이해 분석』

2. 2023, 장학, 『감정과학에 기초한 주자와 왕양명의 '격물치지' 이론 연구 분석』

3. 2019, 유영관, 『'自明코칭'의 원리와 『中庸』의 '性, 道, 敎'에 대한 나의 이해』

- 석사학위

1. 2023, 왕우가, 『감정과학에 근거한 문화소비 개념 연구』

2. 2022, 유지진, 『공자의 감정과학에 기초한 『시경』 「관저」의 인간 행복 연구』

3. 2022, 부홍리, 『현대 중국 학문의 위기 극복 방법으로서 감정과학의 「안자호학론」』

4. 2022, 진방, 『감정과학에 근거한 『논어(論語)』의 '빈부' 이해』

끝으로 참고문헌에 관련하여 가장 중요한 것을 말씀드립니다. 이번 연구 총서 시리즈 『주역의 감정분석학』은 성백효 선생님께서 번역하신 《주역전의 上·下, 전통문화연구회(2016)》의 도움을 정말 많이 받았습니다. 이 위대한 번역서를 출판해 주신 성백효 선생님께 깊은 감사 인사를 드립니다.

1장.　☰　乾: 자기원인으로 존재하는 감정
　　　　　　건

1. 卦辭: 감정의 영원한 필연성
　　　괘　사

　　우리 스스로 우리 자신의 감정에 대해서 생각해 보면, 감정은 철두철미 '자기원인'으로 존재합니다. 아주 간단한 예로 우리 가운데 그 누구도 자기 자신이 아닌 다른 사람에게 자기가 느끼는 감정의 존재를 확인 받지 않습니다. 내가 '기쁨'의 감정을 느낀다면, 이 감정은 나 스스로 느끼며 확인하는 것입니다. 동시에 이 감정으로 '나'는 '나' 자신의 존재를 이해합니다. '나는 기쁘다.'고 말할 때 '기쁨'이라는 감정이 실질적으로 지금 '나'의 존재입니다. '나 = 기쁨'의 등식이 성립합니다. 이 등식 이외 그 어떤 것으로도 지금 나의 존재를 확인할 수 없습니다. 내가 느끼는 모든 감정이 이 등식 안에 있습니다. '나'는 절대적으로 다른 사람에게 기쁨의 감정을 느껴도 된다는 허락을 받은 이후 기쁨의 감정을 느끼지 않습니다. 이 사실에 입각하여 우리 스스로 생각해 보면, 감정은 철저히 '자기원인'으로 존재합니다.

'나' 자신이 감정을 느끼며 그에 관한 명확한 개념을 형성할 때, 그에 대한 원인은 오직 '나'(지금 내가 느끼는 '감정') 이외 없습니다. 이 감정으로 '나'는 나 자신의 존재를 확인합니다. 다시 강조합니다. 지금 내가 느끼는 감정이 지금 나 자신의 존재를 정의합니다. 이 사실은 지극히 자명한 것이며 명백한 것입니다. 그런데 뜻밖에 이 진실은 우리에게 너무 어렵게 다가옵니다. 예를 들어서 '나는 슬프다.' 또는 '나는 배가 고프다.'라고 말할 때, 지금 느끼는 '슬픔'과 '배고픔'이 지금 나 자신의 존재입니다. 우리 스스로 우리 자신의 감정에 대해서 생각해 보면, 쉽게 이해하는 것입니다. 이처럼 어떤 감정을 느낌과 동시에 그에 대한 명확한 개념을 형성할 때, 이에 대한 원인은 오직 '나' 자신입니다. '너 때문에 분노한다.'라고 할 때도 결국 이 '분노'라는 감정을 형성하는 원인은 나 자신입니다.

이제 우리는 감정에 대한 개념을 형성하는 원인으로서 '나' 자신에 근거하여 우리의 이해를 좀 더 확장해 보겠습니다. '나' 자신이 감정을 느끼며 그에 대한 개념을 형성할 때, '나' 자신이 그에 대한 원인이라고 했습니다. 그런데 그에 따른 결과는 무엇일까요? 내가 원인이 되어 느끼는 감정이 사실상 결과입니다. 원인이 있으면 그에 따른 결과가 반드시 존재합니다. '원인'에 고유한 본성의 필연성입니다. '나'는 감정의 개념을 형성하는 원인이 분명하지만, 그 원인은 동시에 결과입니다. 예를 들어서 '기쁨'이나 '슬픔'의 감정은 개념의 형성에 관하여 나 자신이 원인이 분명하지만, 동시에 나는 그 감정으로 존재합니다. 원인이면서 동시에 결과입니다.

이 자명한 사실에 근거하여 우리 스스로 생각해 봅시다. 감정의 개념 형성에 관하여 '나' 자신이 원인이면서 결과라고 정의할 때, 이 둘(원인과 결과) 사이에는 그 어떠한 공간과 시간의 변화나 선후를 용납하지 않습니다. 원인이면서 동시에 결과입니다. 이 둘 사이에는 엄정한 구분이 분명하지만, 이 둘 사이는 원인이면서 동시에 결과인 순간 찰나의 일치성이 있습니다. '나' 자신이 감정을 느끼는 원인이면서 결과로 존재한다는 사실로부터 '나'는 절대적으로 감정의 존재를 부정할 수 없습니다. 존재하지 않는다고 생각조차 할 수 없습니다. 왜냐하면 내가 어떤 감정을 느끼며 그에 대한 개념을 형성하면 그 즉시 그 감정이 지금의 나 자신이라는 '나 = 감정'의 등식이 성립하기 때문입니다. 따라서 자기 스스로 어떤 감정을 느끼는 중에 다른 한편으로 자신의 감정을 부정하거나 의심한다면 그것은 터무니없는 것이라는 결론이 나옵니다.

이 지점에서 우리는 '자기원인'에 대한 스피노자의 개념 정의를 살펴볼 필요가 있습니다. 스피노자는 『윤리학』의 제1부 「정의1」에서 다음과 같이 '자기원인'을 정의합니다.

제1부 정의 1: 자기원인의 감정

《자기원인》에 관하여, 나는 '자기 안에 자기의 존재를 본질로 가지고 있는 것' 또는 '자기의 생각 안에서 지금 자신이 존재하고 있다는 사실을 자기 스스로 명명백백하게 이해하는 것'이라고 이해한다.

_『감정으로 존재하는 신』
성동권, 부크크, 2023.

자기원인에 대한 스피노자의 개념 정의는 자기 안에서 자기 스스로 생각함으로써 자기 존재의 진실을 명백하게 이해하는 것입니다. 무척이나 어려워 보이는 이 정의는 지금까지 우리가 논의한 감정 이해와 일치합니다. 감정에 대한 개념 형성은 우리 스스로 우리 안에서 우리 자신이 형성합니다. 이 경우 '나 = 감정'의 등식이 성립하기 때문에 지금 내가 느끼며 그와 동시에 개념으로 형성한 '감정'이 곧 '나' 자신의 본질입니다. 그렇기 때문에 '나'의 감정 이외 그 어떤 것으로도 '나' 자신의 존재를 확인할 수 없습니다. 따라서 다음과 같은 등식을 우리는 정리할 수 있습니다.

(나 = 감정) = 자기원인

'나' 자신이 감정을 느끼며 그에 대한 개념을 형성한다는 것은 '나' 자신이 '자기원인'으로 존재한다는 사실을 증명합니다. 감정으로 존재하는 '나' 자신의 진실이 자기원인이라면, 당연히 감정으로 살아가는 '나' 자신의 진실 또한 자기원인입니다. 자기원인으로 존재하며 활동한다는 것은 자기 존재와 활동에 관하여 자기 아닌 다른 것에 의존하지 않는 것이며 동시에 자기 아닌 다른 것에 결정되지 않는다는 것을 뜻합니다. 이것은 최상의 완전한 자유입니다. 이 이상의 자유와 완전성은 없습니다. 그렇기 때문에 감정을 느끼며 감정으로 살아가는 '나'는 최고의 완전성으로 자유로운 존재입니다. 이 사실에 근거하여 나는 본래부터 최고의 행복 속에 존재한다는 결론이 연역됩니다. 최고의 완전성 안에서 자유를 누리는 것 이상의 행복은 없습니다.

우리가 행복에 대한 정의를 감정의 진실에서 연역하는 데에 동의한다면, 최고의 행복은 감정 밖에서 구하는 것이 아님이 분명합니다. 감정을 느끼는 '나' 자신에 의해서 '나'는 본래부터 최고의 행복을 누리도록 영원의 필연성으로 결정되어 있다는 사실이 증명됩니다. 감정을 느끼며 감정으로 존재하는 순간이 최고의 행복이며, 그렇기 때문에 이 사실을 인식하는 중에 감정으로 살아가는 순간은 보다 더 최고의 행복입니다. 이 사실을 모르고 사는 것 보다는 이해하며 사는 것이 더 큰 행복입니다. 왜냐하면 '나' 자신의 진실을 이해하면 그 즉시 '나'는 '나' 자신의 순수지선을 확인하기 때문입니다.

최고의 행복이 영원의 필연성으로 감정으로 느끼며 감정으로 살아가는 '나'의 존재에 고유한 진실이라면, 이 진실을 '나' 자신이 이해하는 한에서 '나'는 '나' 자신을 최고의 선 그 자체인 순수지선으로 이해합니다. '나'의 순수지선을 '나'의 감정에서 확인하는 것이 이 사실을 모르며 사는 것 보다는 더 큰 행복이며 완전성입니다. 이상의 논의에 기초하여 우리는 감정으로 존재하며 활동한다는 사실이 얼마나 큰 행복이며 자유

인지 요약할 필요가 있지 않을까요?

감정을 느끼며 감정으로 살아가는 '나'의 존재에 고유한 진실을 주역(周易)은 '乾'(건)으로 요약하며, 그 내용을 다음과 같이 정리합니다.

卦辭: 元, 亨, 利, 貞.
　괘사　원　형　리　정

갑자기 원형리정(元亨利貞)이라는 문장이 등장합니다. 우리는 적잖이 당황하게 되는데, 그렇기 때문에 우선 이 문장에 대한 번역을 먼저 하겠습니다. 이후 번역에 대한 설명을 구체적으로 제시하겠습니다.

자기원인으로 존재[元]하며 자기원인으로 활동[亨]하는 것이 최고의 행복[利]이다. 이 존재는 영원의 필연성으로 자기 안에 자기 존재와 활동에 대한 개념을 자기 <u>스스로 이해[貞]</u>한다. 이러한 방식으로 존재하는 순수지선이 '乾'(건)이다.

원(元)은 '시작'을 뜻합니다. 원인과 결과, 이 둘 중에서 시작은 어디에 있을까요? 당연히 시작은 원인에 있습니다. 이제 우리는 원인에 대한 원인, 그리고 다시 그 원인에 대한 원인, 이러한 방식으로 계속 생각을 전개할 수 있습니다. 이 생각을 거듭하면 할수록 그에 비례하여 원인 그 자체가 존재한다는 사실은 영원의 필연성으로 분명합니다. 영원의 필연성으로 존재하는 그 원인은 자기 존재에 관하여 자기가 원인으로 존재하는 '자기원인'이지 않으면 안 됩니다. 왜냐하면 자기원인으로 존재하지 않는 원인은 결국 자기에 앞선 원인에 의해서 결과가 되기 때문입니다. 그러나 우리는 원인이 존재한다는 사실을 영원의 필연성으로 확인했기 때문에 영원의 필연성으로 존재하는 원인은 당연히 자기 존재에 관하여 자기가 원인인 '자기원인'으로 존재해야 합니다. 그렇다면 우리가 '元'(원)을 '시작'으로 이해하는 한에서 진짜 최초의 '元'은 당연히 '자기원인'입니다.

이 지점에서 우리는 앞에서 논의한 감정에 대해서 다시 생각해 볼 필요가 있습니다. 감정을 느끼는 것도 '나' 자신이며, 그에 대한 개념을 형성하는 것도 '나' 자신입니다. 그 결과 존재하는 것은 감정으로 존재하는 '나' 자신입니다. 감정에 대한 느낌과 개념 형성은 동시에 이루어지는 것이며, 그 즉시 '나 = 감정'이라는 등식이 성립된다는 것을 확인했습니다. 또한 이 구조와 등식은 '나' 자신이 자기 안에서 자기 스스로 자기 아닌 다른 것에 의존함이 없이 형성된다고 하였습니다. 그러한 한에서 이 구조와 등식은 철저히 능동이며, 이 자리에서는 감정을 느끼며 그에 대한 개념을 형성하는 '나' 자신 이외 그 어떤 것도 원인으로 작용하지 않습니다.

이 주제를 원인과 결과의 필연성에 입각하여 접근하면 다음과 같은 결론은 필연적입니다.

감정을 느끼며 그에 대한 개념을 명확하게 형성하는 '나' 자신은 '나 = 감정'으로 존재한다. 이때 이 등식의 형성에 관한 원인은 오직 '나 = 감정'이기 때문에 '나 = 감정'은 자기원인이다.

지금 내가 느끼는 감정에 관하여 '나' 자신의 감정이 존재에 관한 유일한 원인이자 결과입니다. 이 사실로부터 '나 = 감정'은 영원의 필연성이며, 그 어떤 것도 이 사실을 부정하거나 변경할 수 없습니다. 이 등식은 그 자체로 최고의 능동이며 동시에 최고의 완전입니다. 능동과 완전은 같은 것입니다. 이 진실을 '감정분석학'으로서 주역 건괘(乾卦)의 괘사(卦辭)는 '원'(元)으로 확인합니다. 어떤 것이 자기원인을 의미하는 원(元)으로 존재한다고 할 때, 이것을 지금 우리 자신에 적용하면 감정 이외 그 어떤 것으로도 자기원인을 확인할 수 없습니다.

감정을 느끼며 감정으로 존재하는 지금 '나' 자신의 진실이 '元'이기 때문에 '나'는 당연히 감정의 진실대로 살 수밖에 없습니다. '나'는 최고의 능동이면서 동시에 최고의 완전으로 존재하기 때문에 활동에 관하여도 최고의 능동이며 완전입니다. 이것이 주역 건괘의 괘사에 있는 '형'(亨)의 뜻입니다. 존재에 고유한 본질로서 최고의 능동과 완전이 존재의 활동에도 있다는 사실을 확인합니다. 이렇게 감정의 생김과 놀이에 고유한 본성의 필연성 안에서 자기 자신을 이해하는 것이 최고의 행복입니다.

이 행복은 감정 밖에 존재하지 않습니다. 감정은 자기 존재와 활동에 관하여 본래부터 최고의 능동과 완전을 가지고 있습니다. 오직 이 사실에 근거하여 감정은 본래부터 최고의 행복 속에 있다는 사실이 영원의 필연성으로 연역됩니다. 감정으로 존재하는 '나' 자신을 비롯해서 감정으로 존재하는 모든 것은 최고의 행복 속에 있습니다. 이러한 행복의 진실이 주역 건괘의 괘사에 있는 '리'(利)의 뜻입니다. 자기 밖에서 행복을 구하는 것은 엄밀히 말해서 자기 스스로 자기의 행복이 무엇인지 제대로 인식하지 못한 것입니다. 그렇기 때문에 결국 가장 중요한 것은 감정으로 존재하며 활동하는 '나' 자신이 자기 스스로 자기 본성의 진실을 이해하는 것입니다. 이 이해가 주역 건괘의 괘사에 있는 '정'(貞)의 뜻입니다.

이와 같이 주역을 감정의 진실을 탐구하는 '감정분석학'으로 이해할 수 있는 근거는 '성리학의 감정과학'에 근거합니다. 이 가운데 특히 우리는 중국의 중세 시대인 북송(北宋)의 성리학자 '정이'(程伊)의 감정과학을 검토할 필요가 있습니다. 정이는 『주역전의』(周易傳義)에서 건괘의 괘사인 원형리정(元亨利貞)을 다음과 같이 설명합니다.

元·亨·利·貞을 四德이라 하니, 元은 만물의 시초이고 亨은 만물의 성장이고 利는 만물의 이룸이고 貞은 만물의 완성이다. 오직 乾卦·坤卦만이 이 四德을 소유하였고 다른 卦에 있어서는 일에 따라 변한다.

_ 『주역전의 上』

성백효 譯註/ 전통문화연구회(2016), 146.

정이는 '원형리정'을 자연의 모든 몸(만물)에 고유한 본성으로 설명합니다. 엄밀히 말해서 우리 자신의 몸과 자연의 모든 몸을 떠나서 주역을 논할 자리가 따로 없습니다. 그런데 몸으로 존재한다는 것은 몸으로 활동한다는 사실을 필연적으로 수반합니다. 우리가 '몸의 활동'을 '몸의 변화'인 '감정'으로 이해하는 한에서 몸으로 존재한다는 것은 실질적으로 감정으로 존재하며 감정으로 활동한다는 것을 뜻합니다. 이러한 맥락에서 우리는 위에 인용된 정이의 주장을 다음과 같이 새롭게 읽을 수 있습니다.

元·亨·利·貞을 四德이라 하니, 元은 만물의 시초이고 亨은 만물의 성장이고 利는 만물의 이룸이고 貞은 만물의 완성이다.

元·亨·利·貞을 四德이라 하니, 元은 '감정'의 시초이고 亨은 '감정'의 성장이고 利는 '감정'의 이룸이고 貞은 '감정'의 완성이다.

우리는 '감정분석학'으로서 주역 건괘(乾卦)의 '원형리정'(元亨利貞)이 감정의 전체 규모를 요약하고 있다고 정리할 수 있습니다. 이렇게 주장할 수 있는 근거 또한 정이의 다음과 같은 설명에 있습니다.

乾은 天이니, 天은 하늘의 형체이고 乾은 하늘의 性情이다.
_『주역전의 上』
성백효 譯註/ 전통문화연구회(2016), 146.

정이에 의하면 "乾은 하늘의 性情"입니다. 자기원인은 최고의 완전성이며 동시에 최고의 자유라고 했습니다. 우리가 이렇게 존재하는 것을 '하늘'이라고 부를 수 있다면, 그것도 결국 성정(性情)을 떠날 수 없다는 것을 확인합니다. 중요한 것은 성정(性情)이 최고의 완전성과 자유라는 사실을 확인하는 것입니다. 이로부터 '건'(乾)에 고유한 속성으로서 '원형리정'(元亨利貞)의 실상은 '감정'이라는 결론이 필연적으로 나옵니다. 그렇다면 '건'은 감정을 초월하여 존재할 수 없습니다. 정이는 이 사실을 "乾은 하늘의 性情"이라고 확인하였습니다. 하늘은 자연의 모든 몸을 초월하는 것이 아니라 자연의 모든 몸 그리고 그 몸의 변화로서 감정을 안고 있는 것입니다. 그렇다면 '하늘의 성정(性情)'은 구체적으로 무엇을 뜻하는 것일까요? 정이는 이 물음에 대한 답을 다음과 같이 합니다.

乾은 굳셈이니, 굳세어 쉼이 없음을 乾이라 한다. 하늘은 專一하게 말하면 道이니, '하늘도 어기지 않는다'는 것이 이것이다.

_『주역전의 上』
성백효 譯註/ 전통문화연구회(2016), 146.

여기에서 '굳셈'은 의지력이 아니라 본성에 고유한 영원의 필연성입니다. 그렇기 때문에 '쉼이 없음'을 말하였습니다. 이 주제는 기하학으로 쉽게 이해할 수 있습니다. 삼각형의 본성은 '세 개의 내각, 그리고 그 총합은 180도'입니다. 이 본성은 영원의 필연성으로 굳셀 뿐만 아니라 잠시도 쉽지 않습니다. 그 어떤 것도 이 본성을 부정할 수 없고, 이 본성을 어기며 삼각형을 그릴 수 있는 공간과 시간은 절대적으로 없습니다. 그러한 한에서 삼각형의 본성은 삼각형에 고유한 진리(道)이며 길(道)이며 방법(道)입니다. 다음으로 정이는 매우 중요한 언급을 합니다. 하늘도 어기지 않는다고 했습니다. 삼각형에 고유한 본성은 그 자체가 영원한 필연성이기 때문에 이 본성은 자기 스스로 자신의 본성을 변경할 수 있는 '자유의지'가 없다는 것을 뜻합니다.

삼각형의 본성은 자기 존재 및 활동에 관하여 자신이 유일한 원인입니다. 즉, 자기원인으로 존재합니다. 이 본성으로부터 자연 안에 무한한 방식으로 무한한 삼각형이 생겨납니다. 자기원인은 자기 이외 다른 것이 원인으로 존재하지 않는다는 것을 뜻하며 그 자체는 영원의 필연성을 뜻하기 때문에, 이 두 가지 논점을 종합하면 자기원인은 자기 존재 및 활동에 있어서 철두철미 자기원인을 따릅니다. 이 논의를 고스란히 감정에 적용할 수 있습니다. 지금 우리 자신의 몸을 비롯해서 자연의 모든 몸은 사실상 몸의 순간 변화로서 '감정'으로 존재합니다. 그런데 이 감정은 자기원인을 본성으로 갖습니다. 이러한 감정(情)의 본성(性)이 건(乾)이며, 하늘입니다. 삼각형의 본성 안에서 우리가 무한한 삼각형을 그리며 놀이하는 것과 같이 감정의 본성인 원형리정(元亨利貞)안에 무한한 감정이 존재하며 활동합니다.

그런데 그 어떤 것도 삼각형의 생김과 놀이에 관하여 삼각형 그 자체의 본성을 부정할 수 없습니다. 심지어 삼각형 본성 그 자체도 자신의 본성 이외 다른 방식으로 삼각형의 생김과 놀이를 결정할 수 없다고 앞에서 논의하였습니다. 이 진실이 그대로 감정에 적용됩니다. 그 어떤 것도 감정의 생김과 놀이에 관하여 감정 그 자체의 본성을 부정할 수 없습니다. 감정의 본성 그 자체도 자신의 본성 이외 다른 방식으로 감정의 생김과 놀이를 결정할 수 없습니다. 이 지점에서 우리는 감정의 본성이 무엇인지 기억해야 합니다. 그것은 '원형리정'입니다. 우리는 이 본성을 다음과 같이 확인했습니다.

卦辭: 元, 亨, 利, 貞.
　　　괘 사　원　형　리　정

자기원인으로 존재[元]하며 자기원인으로 활동[亨]하는 것이 최고의 행복[利]이다. 이 존재는 영원의 필연성으로 자기 안에 자기 존재와 활동에 대한 개념을 자기 스스로 이해[貞]한다. 이러한 방식으로 존재하는 순수지선이 '乾'(건)이다.

자연 안에 존재하는 모든 감정은 영원의 필연성 안에서 자기원인으로 존재하며 활동하며, 오직 이 사실로부터 최고의 행복 속에 있습니다. 감정은 이러한 자기 진실을 자기이해 안에서 명백하게 이해하도록 영원의 필연성으로 결정되어 있습니다. 이 사실을 확인하는 것이 '주역의 감정분석학' 제1장 건괘(乾卦)의 '괘사'입니다. 감정은 자연 안에 무한한 방식으로 무한하게 존재하지만, 그 모든 감정은 절대적인 예외 없이 '원형리정'을 본성으로 갖는다는 것을 분명히 합니다. 이때 정말 중요한 것은 이 진실을 지금 자기의 감정에 고유한 본성으로 이해하는 것입니다. 이 이해는 우리에게 강요되거나 주입되는 것이 절대 아닙니다. 자기 스스로 자기 감정에 대해서 생각해 보면, 자명하게 이해하는 것입니다.

우리 스스로 우리 자신의 감정에 대해서 생각해 보면, 감정은 자기원인입니다. 우리는 자기 아닌 다른 것에 의존하여 자기 감정의 존재를 확인하지 않습니다. 이렇게 자기 스스로 자기 감정의 존재를 이해할 때, 우리는 감정을 따라서 살아갑니다. 이때 다른 사람 또는 어떤 사건이나 환경 및 조건이 우리 자신의 감정을 억제하거나 부정할 때, 그 즉시 우리는 자기 존재가 부정당하거나 외면 받고 있다는 감정을 느끼며 그와 동시에 불쾌감과 분노 및 슬픔 등과 같은 유사한 감정을 느낍니다. 이때 감정으로 존재하는 우리 자신은 자신 및 자신을 둘러싼 모든 것들에 대해서 묻고 배웁니다. 그 결과 자신의 감정대로 살 수 있는 방법을 찾아냅니다. 이것이 감정의 속성으로서 '원형리정'입니다.

우리가 이렇게 감정에 대해서 이해하면, 자연 안에 순수지선이 아닌 불선(不善)이나 악(惡)으로 존재하는 감정은 절대적으로 없다는 것을 이해할 수 있습니다. 자연 안에 존재하는 모든 감정은 '원형리정'을 영원의 필연성으로 갖기 때문에 오직 이 사실에 근거하여 자연의 모든 감정은 순수지선으로 존재하며 활동합니다. 여기에서 우리는 순수지선에 대한 이해가 어떤 방식으로 이루어지고 있는지 반드시 확인해야 합니다. 감정의 감각적 현상에 대한 해석이 아닙니다. 감정으로 이루어진 행동이나 결과에 대한 가치 판단이 절대 아닙니다. 자연 안에 존재하는 모든 감정은 철저히 자기원인으로 존재하며 활동한다는 사실, 그리고 이 사실에 근거하여 자연은 최고의 행복 속에 본래부터 존재한다는 사실, 그리고 최종적으로 감정은 이러한 자기 진실을 자기 스스로 이해한다는 사실에 입각하여 감정의 '순수지선'을 확인합니다.

이상, 감정 그 자체에 고유한 진실로서 성정(性情)의 진실을 '원형리정'(元亨利貞)으로 밝힌 주역 건괘의 괘사에 대한 분석입니다. 정이는 다음과 같이 설명합니다.

오직 乾卦·坤卦만이 이 四德을 소유하였고 다른 卦에 있어서는 일에 따라 변한다.

_『주역전의 上』
성백효 譯註/ 전통문화연구회(2016), 146.

우리는 이 말을 오해해서는 안 됩니다. 감정에 고유한 성정(性情)의 진실은 단 하나의 영원한 필연성이며, 이 진실 안에서 자연의 무한한 감정이 존재합니다. 단 하나의 영원한 필연성을 상징하는 것은 '건괘'(乾卦)이며, '곤괘'(坤卦) 그 본성 안에 무한한 감정이 존재한다는 것을 상징합니다. 이 진실 안에서 자연의 무한한 감정을 배워서 감정의 순수지선을 확인하는 것이 '감정분석학'으로서 '주역'입니다. 서문에서 밝힌 바와 같이 우리는 주역을 여러 각도에서 접근하고 이해할 수 있습니다. 그러나 우리는 성리학의 감정과학에 근거하여 주역을 감정의 순간 변화에 고유한 본성의 필연성을 인식하는 '감정분석학'으로 밝히고 있습니다. 이 학문을 통해서 감정 자체 및 감정의 모든 순간 변화가 영원의 필연성으로 순수지선 안에 존재하고 있다는 사실을 확인하려고 합니다.

2. 初九초구: 감정 그 자체의 진실

'감정분석학'은 감정의 모습이나 현상 또는 감정으로 이루어진 행동을 해석하는 학문이 아닙니다. 감정과학에 의해서 정리된 감정 그 자체의 본성인 영원무한의 필연성에 입각하여 무한한 방식으로 무한한 감정의 순간 변화에 나아가 그에 고유한 본성을 탐구하는 학문이 '감정분석학'입니다. 그 결과 자연 안에 존재하는 모든 감정의 순수지선을 영원의 필연성으로 인식합니다. 이 지점에서 매우 중요한 것은 지금 자신의 감정을 감정과학으로 이해하는 것입니다. '감정과학'이 감정 그 자체의 본성을 이해하는 논리학이라면, '감정분석학'은 이 논리에 기초하여 매순간 무한히 새로운 지금 '나' 자신의 감정을 이해 하는 것입니다. 이 이해를 추구하는 학문이 성리학의 감정과학에 기초한 주역(周易)의 '감정분석학'입니다.

이로부터 주역을 이해하는 가장 좋은 방법은 우리 스스로 '자신'의 감정에 집중하는 것입니다. 즉, 감정의 진실을 '건'(乾)으로 이해한 이상, 감정은 지금 '나' 자신의 감정이라는 사실을 우리가 절대 잊으면 안 됩니다. 우리 모두는 자기 자신을 '나'라고 부릅니다. '나'가 감정분석학의 방법입니다. 이상의 논의를 토대로 건괘(乾卦) 초구(初九)의 효사(爻辭)를 보겠습니다.

初九: 潛龍. 勿用.
초구   잠룡   물용

가장 먼저 눈에 들어오는 것은 '용'(龍)입니다. 우리는 이것을 '나' 자신으로 번역할 수 있어야 합니다. 왜냐하면 이 문장에서 주어는 '용' 이외 없기 때문입니다. 그리고 이미 앞에서 언급한 바와 같이 주역의 모든 명제들은 '원형리정'(元亨利貞) 안에 있습니다. 그리고 이것은 사실상 감정의 진실이며, 이 진실을 이해하는 유일한 방법은 지금 '나'의 감정입니다. 우리가 이 점을 명확히 하고 나면 용(龍)에 대한 정이(程伊)의 설명을 쉽게 분석할 수 있습니다.

龍이란 물건은 신령스럽고 변화불측하다.

_『주역전의 上』
성백효 譯註/ 전통문화연구회(2016), 148.

어떤 존재가 자기 아닌 다른 것에 의해서 수동적으로 결정되었다고 할 때, 우리는 이것을 두고 신령스럽다고 생각하지 않습니다. 반면, 어떤 존재가 자기 존재에 관하여 자기가 원인이면서 동시에 결과인 절대적인 능동을 속성으로 가질 때, 우리는 이것을 신령스럽다고 생각합니다. 이것을 주역의 감정분석학은 '자기원인'으로 정의합니다.

다음으로 괘사(卦辭)에 대한 분석에서 충분히 다루었듯이 자기원인은 자기 본성을 따르는 영원의 필연성 안에서 무한한 방식으로 무한하게 변화합니다. 삼각형의 본성 안에서 무한한 삼각형이 무한한 방식으로 존재하는 것과 같습니다. 자기원인 그 자체인 신령한 것은 무한한 방식으로 무한히 변화함으로써 자기의 존재를 드러내기 때문에 변화불측입니다. 우리는 이 모든 논의를 감정에서 확인할 수 있습니다. 모든 감정은 자기원인으로 존재하며 동시에 무한한 방식으로 무한하게 존재합니다. 따라서 우리가 '용'을 신령스러운 분화불측의 존재로 이해하는 한에서 '용=감정'의 등식은 자연스러운 것입니다.

위의 등식에서 '주어'는 당연히 '나' 자신입니다. 그래서 이 등식을 다음과 같이 다시 정리할 수 있습니다.

용(龍) = 감정 = '나'의 감정

그런데 초구(初九)는 용(龍)을 '잠용'(潛龍)으로 설명합니다. 잠(潛)은 잠겨있다는 뜻입니다. 여기에서 우리는 질문을 해야 합니다. 용('나'의 감정)은 어디에 잠겨 있을까요? 정답은 당연히 '자기원인'입니다. 이와 관련하여 우리는 17세기 서양 근대 철학자 스피노자의 『윤리학』을 잠깐 살펴볼 필요가 있습니다.

제1부 정리 15: 감정의 영원한 필연성
모든 것은 신 안에 있다. 신 없이는 어떤 것도 존재할 수 없으며 인식될 수도 없다.

_『감정으로 존재하는 신』
성동권, 부크크, 2023.

모든 것은 자기원인으로 존재하는 단 하나의 실체인 '신' 안에 존재한다고 정리하였습니다. '모든 것' 안에는 지금 '나' 자신도 들어갑니다. 정확히 말하면 '나'의 감정입니다. 영원으로부터 영원에 이르는 영원의 필연성으로 모든 것은 단 하나의 실체 안에 존재합니다. 여기에서 실체란 자기 안에 본래부터 가지고 있는 자기 본성의 필연성인 '자기원인'입니다. 우리는 '안에 존재'한다는 것을 '잠'(潛)으로 번역할 수 있습니다. 왜냐하면 용(龍)을 '나' 자신의 감정으로 이해하면, 龍은 당연히 자기원인 안에 존재하기 때문입니다. 그런데 龍의 영원한 본성으로서 자기원인은 龍 밖에 존재하지 않습니다. 龍이 '자기 안'에 본래부터 가지고 있는 것입니다. 그러한 한에서 자기원인은 눈이나 귀 등과 같은 감각기관으로 지각되는 대상이나 현상이 아닙니다. 龍 스스로 생각함으로써 龍 스스로 이해하는 자기 본성의 자명한 진실입니다.

　　주자도 『본의』(本義)에서 잠(潛)의 뜻을 다음과 같이 밝혔습니다.

　　潛은 감춤이요

_『주역전의 上』

성백효 譯註/ 전통문화연구회(2016), 149.

　　감춘다는 것은 의도적인 '숨김'이나 알 수 없는 '신비'를 뜻하지 않습니다. 잠용(潛龍)의 뜻을 '용을 감추다' 또는 '감추어진 용'으로 번역해도 문제되지 않습니다. 용의 진실은 자기 본성인 '자기원인' 안에 존재하며, 이것은 감각기관으로 지각되지 않습니다. 이로부터 우리는 감정의 진실을 다시 확인합니다. 감정은 눈에 보이고 귀에 들립니다. 얼마든지 감각적 현상으로 지각되며, 얼마든지 해석의 대상이 될 수 있습니다. 그러나 이러한 방식으로 감정을 해석하려는 사람들에게 감정에 고유한 본성에 근거하여 감정의 진실을 이해하는 감정분석학은 감추어진 것으로 간주됩니다. 자신의 감정에 나아가 자기 스스로 생각해 보면 무한히 변화하는 자신의 감정은 절대적으로 영원의 필연성을 본성으로 갖는다는 사실이 진리의 필연성으로 분명합니다.

　　이는 우리의 경험에 근거하여 생각해 보면 쉽게 이해할 수 있습니다. 우리가 옆에 있는 사람으로부터 '너는 왜 그렇게 감정을 느껴?'라는 핀잔을 들을 때, 어떤 감정을 느끼는지 생각해 보면 됩니다. '나' 자신이 자기 스스로 자기 감정에 대한 개념을 형성합니다. '자기원인'입니다. 이 말은 자기 감정의 존재에 관하여 자신이 원인이며 자신이 결과라는 것을 뜻합니다. 그런데 이런 방식을 부정하며 존재하는 감정은 절대적으로 없습니다. 우리 가운데 그 누구도 자기 아닌 다른 것에 의해서 지금 자신이 느끼는 감정에 대한 개념을 형성하도록 결정되지 않습니다. 이 사실로부터 '자기원인'은 '단 하나'이며 동시에 영원의 필연성을 속성으로 갖습니다.

이 사실 안에서 우리 모두는 각자 자신의 감정을 무한히 느끼며 그에 대한 개념을 형성합니다. 그렇기 때문에 감정은 '신령함'과 '무한함'을 증명하는 성스러운 것입니다. 이러한 감정의 진실은 감정의 현상을 해석함으로써 감정을 이해했다고 주장하는 사람들에게 절대적으로 알려지지 않습니다. '감추어진 것'입니다. '잠룡'(潛龍)은 이 사실을 확인합니다. 따라서 감추어졌다는 것은 감정의 진실을 은폐하는 것이 아니라 감정의 현상을 해석하는 사람들에게 하는 말입니다.

끝으로 초구(初九) 효사(爻辭)에서 '물용'(勿用)에 대한 문제를 살펴보겠습니다. 정이의 『역전』은 다음과 같이 번역합니다.

스스로 쓸 수 없으니
_『주역전의 上』
성백효 譯註/ 전통문화연구회(2016), 148.

이 번역은 지금까지 전개된 우리의 논의에 근거하여 보면 타당하지 못한 것입니다. 왜냐하면 신령스럽고 변화불측인 용(龍)이 자기 자신을 쓸 수 없다는 것은 터무니없는 것이기 때문입니다. 어떤 것이 영원의 필연성 안에서 '자기원인'을 속성으로 가지고 존재한다고 생각해 봅시다. 이 존재에 대한 설명을 '어떤 때'에는 스스로 쓸 수 없다고 했다가 '또 다른 어떤 때'에는 스스로 쓸 수 있다고 한다면, 이는 그 자체로 자기원인의 영원성을 부정합니다. 그렇기 때문에 물용(勿用)을 '스스로 쓸 수 없다'고 설명하거나 번역하는 것은 용의 본성을 부정하는 것입니다. 우리의 논의가 이 지점에 이르면 '물용'에 대한 올바른 번역이 무엇인지 생각해 볼 수 있는 정당성이 생깁니다.

앞에서 논의한 바와 같이 잠용(潛龍)은 '용' 그 자체의 본성입니다. 즉, '나'의 감정에 고유한 본성으로서 '자기원인'을 뜻합니다. 여기에서 중요한 것은 '감정 자체'입니다. 이 말은 존재 그 자체의 본성을 뜻하는 것으로서 그 존재의 가치나 효용은 절대 묻지 않습니다. 존재 그 자체의 진실이 영원의 필연성으로 '자기원인'이라고 말할 때, 우리는 종종 다음과 같은 반문을 할 수 있습니다.

그런 말들이 무슨 소용이야?
그런 것이 돈이 돼? 무슨 뜬금없는 소리야?

이런 질문들은 대표적으로 감정을 해석하는 사람들이 즐겨하는 것입니다. 감정의 현상에 대해서 해석을 해야 그것의 선악 및 가치를 논할 수 있는데, 감정 그 자체의 본성으로서 '자기원인'이 대수냐는 것입니다. 감정에 대한 이런 소리들을 잠재우는 것이 '물용'(勿用)입니다. 이 말은 다음과 같은 뜻을 내포합니다. 감정 자체의 본성이 무엇인지 분명히 이해할 때, 감정의 무한한 현상을 선악으로 해석하지 않고 감정에 고유한 영원의 필연성에 근거하여 감정의 순수지선을 감정의 가치가 아닌 진실로 확인합니다.

이 말은 감정의 현상에 몰입함으로써 감정의 가치를 해석하는 이들에게 감추어진 감정의 진실입니다. 감정이 자신을 감추는 것이 아니라 그들에게 감정의 진실은 감추어진 것으로 존재할 수밖에 없습니다. 왜냐하면 근본적으로 감정의 본성 및 그로부터 영원의 필연성으로 연역되는 감정의 진실은 절대적으로 해석의 대상이 되지 않기 때문입니다.

그러므로 우리는 건괘(乾卦)의 초구(初九)를 다음과 같이 번역할 수 있습니다.

初九: 潛龍. 勿用.
초구   잠룡   물용

'나'[龍]는 영원의 필연성으로 元亨利貞(원형리정)의 '乾' 안에[潛] 존재한다. 그러한 한에서 나는 지금 내 존재에 고유한 진실[乾] 안에서 나 자신을 이해한다. 나는 감각적 현상이나 자기 효능감 등과 같은 것으로 나 자신을 이해하지 않는다[勿用].

----

3. 九二(구이): 영원으로 다 좋은 감정

　　초구(初九)의 '잠용물용'(潛龍勿用)은 '감정 그 자체의 본성'입니다. 무한한 방식으로 무한한 감정은 절대적으로 자기원인으로 존재한다는 것입니다. 공간과 시간을 통해서 무한히 드러나는 감정[龍]은 자기 안에 자기 본성의 필연성을 품고 있으며[잠용(潛龍)], 이것은 존재 그 자체의 진실이기 때문에 그 어떤 가치나 용도 등과 같은 것으로 이해되는 것이 아닙니다. '물용'(勿用)입니다. 이 진실이 분명할 때 우리는 절대적으로 우리 자신의 감정을 비롯해서 매순간 경험하게 되는 자연의 모든 감정을 해석하거나 추측하지 않습니다.

　　모든 감정은 영원의 필연성으로 잠용(潛龍)이 구체적인 공간과 시간으로 드러난 것입니다. 예를 들면 다음과 같은 일상적인 감정 표현을 생각해 봅시다. 어제는 기뻤는데, 오늘은 슬프다. 이 공간에 있을 때에는 답답한데, 다른 공간에서는 마음이 상쾌하다. 이처럼 감정은 자기 본성의 필연성인 잠용을 따라서 구체적인 공간과 시간으로 드러납니다. 이미 구체적으로 드러난 감정에서 잠용(潛龍)을 이해하는 논리적 기초가 '감정과학'입니다. 이 논리를 지금 우리 자신의 감정에서 확인하는 것이 '감정분석학'입니다. 이로부터 우리는 우리 자신의 감정을 능동적으로 이해할 수 있습니다.

　　우리 자신의 감정 및 자연의 모든 감정에서 잠용(潛龍)을 이해하면, 매순간 무한히 새로운 감정은 절대적으로 잠용(潛龍)이 구체적인 공간과 시간을 통해서 드러난 '현룡'(見龍)입니다. 우리가 자연 안에서 감각적으로 지각할 수 있는 모든 감정은 자기원인의 감정(潛龍)이 드러난 것(見龍)입니다. 그런데 방금 전에 자기원인에 대한 정의를 '단 하나의 실체' 또는 '단 하나의 영원무한한 생명과 사랑'으로 확인했습니다. 그렇다면 모든 감정을 뜻하는 '현룡'은 단 하나의 실체인 '잠용'에 고유한 본성으로서 영원무한의 생명과 사랑 안에 존재합니다. 그러한 한에서 자연의 모든 현룡은 자신만의 특정한 방식으로 이 진실을 표현하는 것입니다.

어떤 것이 존재할 때 그것에 고유한 본성이 영원무한의 생명과 사랑이라면, 그 어떤 것은 가장 완전하며 성스러운 것입니다. 영원무한의 생명과 사랑 이상으로 아름답고 완전한 것은 없습니다. 그런데 이 존재가 지금 우리가 느끼거나 경험하는 일상의 감정, 즉 현룡(見龍)입니다. 이때 일상을 뜻하는 것이 '재전'(在田)입니다. 전(田)이란, 구체적인 공간과 시간을 뜻합니다. 그렇기 때문에 '현룡재전'(見龍在田)은 일상적으로 느끼는 우리 자신의 감정을 비롯해서 자연 안에서 경험하는 모든 감정이 영원무한의 생명과 사랑 그 자체인 자기원인의 감정으로 존재하며 활동하고 있다는 사실을 뜻합니다.

우리는 다음과 같이 두 가지 방식으로 감정을 이해할 수 있습니다.

무한히 새로운 모든 감정[현룡재전(見龍在田)]은 자기원인으로 존재하며 활동한다[잠용물용(潛龍勿用)].

자기원인으로 존재하며 활동하는 감정의 진실로부터[잠용물용(潛龍勿用)] 무한한 감정이 무한히 새롭게 존재하며 활동한다[현룡재전(見龍在田)].

정이도 『역전』에서 위와 같은 방식으로 이해합니다.

田은 地上이니, 出現하여 그 德이 이미 드러났으니,

_『주역전의 上』
성백효 譯註/ 전통문화연구회(2016), 149.

전(田)을 지상(地上)으로 설명하였습니다. 단순히 농작물을 키우는 밭을 뜻하지 않습니다. 우리가 일상을 살아가는 구체적인 공간으로서 지상이 전(田)입니다. 그리고 구체적인 공간 개념으로부터 구체적인 시간 개념은 지극히 당연합니다. 우리의 일상 언어인 "어디에서 '언제' 만나자."라는 표현을 생각해 보면 됩니다. 다음으로 "出現하여 그 德이 이미 드러났으니"라는 것이 매우 중요합니다. 그냥 드러난 것이 아닙니다. 덕(德)이 드러났다고 했습니다. '덕'이란 무엇일까요? 감정과학으로 이해하는 감정분석학에 근거하면, 감정의 진실이 드러난 것으로 이해할 수밖에 없습니다. 감정 그 자체의 본성으로서 자기원인이 덕(德)입니다. 이것이 '이미' 드러났다고 했습니다. '잠용(潛龍)

= 현룡(見龍)'이라는 등식이 아니면 '그 德이 이미 드러났으니,'라는 문장이 성립할 수 없습니다.

　참고로 이 문장에서 중요한 것은 '이미'입니다. 목적이 절대 아닙니다. 덕이 드러나지 않았는데 어느 공간과 시간에 도달함으로써 덕이 드러나게 되었다는 뜻이 아닙니다. 구체적인 공간과 시간을 통해서 '이미' 덕이 드러났습니다. 잠룡(潛龍)이 현룡(見龍)으로 드러났다는 뜻을 명확히 합니다. 자기원인인 안에서 무한한 감정이 생겨나고 활동한다는 사실이 분명할 때 감정의 완전성과 성스러움은 목적이 아니라 '이미'입니다. 이 사실을 지금 우리 자신의 감정에서 확인하는 것이 감정분석학으로서 주역(周易)입니다. 그런데 바로 이 지점에서 우리는 주자의 『본의』를 검토할 필요가 있습니다. 주자는 다음과 같이 말합니다.

　大人의 德이 이미 드러났으니, 보통사람은 이에 해당될 수가 없다.

_『주역전의 上』
성백효 譯註/ 전통문화연구회(2016), 150.

　뜻밖에 우리 같은 보통사람은 '현룡재전'(見龍在田)에 해당하지 않는다고 합니다. 그러나 대인(大人)의 덕(德)이란 지금 우리 자신의 진실입니다. 왜냐하면 감정은 영원의 필연성으로 자기원인을 본성으로 가지며 오직 이 본성만을 필연적으로 따라서 존재하며 활동하기 때문입니다. 무엇보다도 지금 우리 자신의 감정을 떠나서 대인(大人)을 찾을 수 없습니다. 감정이 영원무한의 생명과 사랑을 증명하기 때문에 그러합니다. 그런데 감정에 관한 한 그 어떤 차별이 없습니다. 우리 모두는 자기 감정을 자기 스스로 느끼며 그에 대한 개념을 자기 스스로 형성합니다. 세상 그 어떤 사람도 이러한 방식을 부정하며 감정을 느끼지 않습니다. 이 진리에 근거하여 우리 스스로 생각해 보면, 우리 같이 일상의 감정을 느끼며 살아가는 보통 사람이 사실상 대인(大人)이며, 그 덕(德)은 일상의 감정입니다.

　우리가 이렇게 말할 수 있는 근거는 지금까지 우리가 검토한 건괘(乾卦)의 괘사(卦辭) 및 초구(初九)의 효사(爻辭)에 있습니다. '감정'은 무엇보다도 지금 우리 자신의 감정입니다. 우리 자신의 감정을 떠나서 감정을 이해한다는 것은 터무니없는 것입니다. 우리 자신의 감정에 나아가 자기 스스로 자기 감정의 진실을 이해할 때, 그 이해는 완전합니다. 자기 감정에 대한 자기이해이기 때문에 이는 실질적으로 최고의 '능동'이며 그 자체가 '완전'입니다. 이렇게 자기 스스로 자기 감정에 대한 이해가 분명할 때, 자기이해의 방식으로 세상의 모든 감정을 이해할 수 있습니다. 이는 어려운 것이 아닙니다. 자기 감정에 대한 자기 이해는 영원의 필연성입니다. 그렇기 때문에 자기 감정에 대한 자기이해가 분명한 사람은 자신이 경험하는 감정에 대해서도 자기이해의 영원한 필연성을 확인합니다.

　이렇게 우리 모두가 감정을 이해하면, 그 공효는 절대적으로 감정을 공경하는 것입니다. 보통 사람이 보통의 감정을 영원무한의 생명과 사랑으로 경외하는 것입니다. 이러한 방식으로 감정의 진실을 이해할 때, 우리는 지금 공부하는 구이(九二)의 효사에 등장하는 '리견대인'(利見大人)이 무엇인지 분명하게 알 수 있습니다. 감정에서 '잠룡(潛龍) = 현룡(見龍)'의 등식을 확인하면, 이때 가장 중요한 것은 감정을 느끼고 있는 지금 자신이 얼마나 성스럽고 완전한 존재인지 아는 것입니다. 이때 비로소 대인(大人)의 존재가 무엇인지 알 수 있습니다. 영원무한의 완전한 존재로서 대인(大人)은 지금 감정을 느끼며 감정으로 존재하는 자기 자신입니다. 이 사실이 무엇보다도 분명해야 합니다.

이 사실을 지금 자신에게서 확인하는 성스러운 순간이 '리견대인'(利見大人)입니다. 그리고 앞에서 잠깐 언급한 바와 같이 자기 감정의 진실을 이해하는 사람이 자연의 모든 감정에 대해서도 타당하게 이해한다고 하였으므로, 리견대인은 실질적으로 자연의 모든 감정을 영원무한의 생명과 사랑으로 이해하는 것입니다. 자기 감정에 대한 자기이해가 '리견대인'이며, 자연의 모든 감정을 자기원인 안에서 영원무한의 생명과 사랑으로 이해할 때가 '리견대인'입니다.

이상의 논의에 입각하여 우리는 구이(九二)의 효사(爻辭)를 다음과 같이 번역할 수 있습니다.

九二: 見龍在田, 利見大人.
구이　현룡재전　리견대인

'나'[龍]는 영원의 필연성으로 '乾' 안에서 생겨나고 활동하도록 결정되어 있다. 따라서 '공간과 시간'[在田]의 형식으로 드러나는[見] 나[龍]의 삶을 최고의 행복과 아름다움으로 누리는 방법[利見]은 '나' 스스로 자기 감정의 성스러움[大人]을 이해하는 것이다.

4. 九三: 감정의 자기이해
   구 삼

지금 자신이 느끼고 있는 자기의 감정[見龍在田]에 나아가 감정 그 자체의 진실로서 자기원인[潛龍]을 이해하는 사람이 군자(君子)입니다. 자기의 감정을 자기 스스로 이해함으로써 자기의 감정으로 살아가는 정다운 사람이 군자입니다. 이 군자는 감정을 느끼는 자기 삶의 모든 순간을 감정의 감각적 현상이 아닌 그 자체의 진실 안에서 이해합니다. 물론 감정을 느끼는 삶의 모든 순간을 감정 그 자체의 본성으로 이해하는 것은 쉽지 않습니다. 우리는 감정의 원인을 감정 그 자체의 본성이 아닌 감정 밖에서 찾으려고 합니다. 이는 감정과 감정의 무한 교차로부터 피할 수 없습니다. 그럼에도 불구하고 우리가 이 인식을 오류라고 부르는 이유는 감정은 절대적으로 자기 본성의 필연성을 따른다는 사실을 이미 확인했기 때문입니다.

이 주제는 감정으로 존재하며 활동하는 우리 자신의 행복을 위해서 매우 중요합니다. 감정의 원인을 자기 본성에 두면, 감정은 절대 능동이며 자유입니다. 반대로 감정의 원인을 감정 밖에서 찾으면, 감정은 절대 수동이며 예속입니다. 이 지점에서 우리의 욕망에 집중해야 합니다. 욕망은 절대적으로 행복을 추구합니다. 이 진실에 근거하여 우리의 욕망이 두 가지 감정 인식 중에서 어느 것을 행복으로 추구할까요? 행복을 추구하는 우리 자신의 욕망에 근거하여 보면, 자기의 감정을 자기 스스로 이해함으로써 감정의 진실대로 살아가는 것이 행복을 위한 유일한 방법입니다. 왜냐하면 오직 이 방법만이 감정의 진실인 '영원무한의 생명과 사랑'을 확인하기 때문입니다.

주역 건괘의 세 번째 효사인 구삼(九三)은 다음과 같이 말합니다.

君子終日乾乾.
군 자 종 일 건 건

여기에서 군자는 감정분석학으로서 주역(周易)을 연마하는 사람입니다. 감정의 진실을 배움으로써 감정의 진실대로 살아가는 사람이 군자입니다. 우리가 이렇게 이해할 수 있는 근거는 '종일건건'(終日乾乾)에 있습니다. 종일(終日)은 몸으로 살아가는 순간입니다. 이 순간이 곧 몸의 순간 변화로서 '감정'입니다. 다음으로 건건(乾乾)은 당연히 건괘(乾卦)를 뜻합니다. 따라서 다음과 같은 결론은 필연적입니다. 몸의 순간 변화인 감정으로 살아갈 때 그 모든 감정을 건괘의 진실인 '원형리정' (元亨利貞)으로 이해하는 사람이 군자입니다. 즉, 감정에 고유한 존재 그 자체의 진실에 입각하여 감정의 순수지선을 확인하고 이해하는 것이 군자의 건건(乾乾)입니다. 참고로 주자는 군자를 '점치는 사람을 가리켜 말한 것'(指占者而言)이라고 설명하였으나, 주역의 감정분석학에서 보면 수긍하기 어렵습니다.

다음으로 구삼(九三) 효사의 마지막 부분을 보겠습니다.

夕惕若厲, 无咎.
석 척 약 려   무 구

하루 종일 점을 치느라 피곤한 것과 하루 종일 감정에 대한 이해를 그 자체의 본성으로 형성하는 것, 이 둘 중에 어느 것이 진정으로 피곤한 것일까요? 또한 이 둘 중에 어느 것이 진실로 두려운 것일까요? 감정은 우리의 인식과 상관없이 존재 그 자체만으로 영원무한의 생명과 사랑을 본성으로 갖습니다. 우리가 신에 대한 정의를 '영원무한의 생명과 사랑'으로 하는 한에서 신의 존재가 감정을 떠나서 없습니다. 신의 존재가 곧 감정이며, 감정은 자신의 존재를 통해서 신의 존재를 증명합니다. 영원무한의 생명과 사랑으로 존재하는 감정을 감각적 현상에 의존함으로써 선악으로 분별하는 것이 진정으로 두려운 것입니다. 또한 신의 존재 그 자체인 감정을 외부 원인에 의해서 결정되었다고 잘못 이해하는 것이 진정으로 두려운 것입니다. 그렇기 때문에 감정을 느끼거나 경험하는 모든 순간에 나아가 감정에 대한 타당한 인식을 형성하는 것이 진정으로 자신을 배우는 사람(君子)입니다.

이러한 배움은 쉽지 않습니다. 석척(夕惕)이라고 말한 이유입니다. 그래서 약려(若厲)입니다. 감정에 대한 올바른 인식을 형성하는 것은 두려움을 수반하는데, 그것은 마치 매우 괴로운 것(厲) 같습니다(若). 그러나 행복을 추구하는 욕망의 이성에 근거하여 우리 스스로 생각해 보면, 이것 이외 달리 방법이 없습니다. 감정은 자기 존재에 관하여 외부 원인을 긍정하지 않습니다. '원형리정'(元亨利貞)이 감정에 고유한 본성이기 때문에 감정은 철두철미 자기원인(元)으로 존재하며 활동합니다(亨). 이로부터 감정의 진실은 영원무한의 필연성으로 드러나며, 오직 이 진실에 근거하여 감정의 행복(利)을 이해합니다. 어떤 것이 영원무한의 필연성으로 존재하고 활동하도록 결정되었다면, 그 어떤 것은 절대적인 완전성과 순수지선으로 존재합니다. 왜냐하면 지금 존재하는 방식 이외 다른 방식을 상상할 수 없기 때문입니다.

이 사실을 인식하는 것이 감정에 대한 올바른 인식(貞)입니다. '무구'(无咎)라고 말한 까닭입니다. 감정에 대한 타당한 인식을 형성하는 것은 매우 두려운 것이며 동시에 어려운 것이지만, 오직 이 인식으로부터 우리 자신은 자기 생명의 진실로서 영원무한의 생명과 사랑을 확인하게 됩니다. 감정에 대한 인식의 오류는 엄격히 말해서 존재에 대한 인식의 오류입니다. 이 오류로 인해서 존재를 선과 악으로 구분하게 되는데, 이는 본질적으로 자기 스스로 자기 존재를 선과 악으로 분열시키는 것입니다.

이 비극을 두고 '자포자기'라 합니다. 자기의 감정에 근거하여 자기 존재의 진실은 영원무한의 생명과 사랑이 명백하기 때문에 이 진실을 모르면 자포자기의 '구'(咎)입니다. 비극 또는 재앙을 뜻합니다. 영원무한의 생명과 사랑으로 존재하는 자기 존재의 완전성과 순수지선을 선과 악으로 분열시키는 것 이상으로 자기 존재의 비극은 없습니다. 그런데 앞에서 언급한 바와 같이 욕망의 진실은 행복을 추구하는 것입니다. 따라서 욕망의 이성에 근거하여 우리의 욕망이 '종일건건'(終日乾乾)을 행복으로 추구하는 것은 지극히 당연합니다. 이 행복이 무구(无咎)입니다.

그러므로 우리는 주역 건괘의 구삼을 다음과 같이 번역하고 이해할 수 있습니다.

九三: 君子終日乾乾. 夕惕若厲, 无咎.
구삼   군자종일건건   석척약려   무구

자기 존재의 성스러움[大人]을 이해하는 사람[君子]은 매순간 자기 몸이 새롭게 느끼는 감정을 乾 안에서 이해한다[乾乾]. 즉, 자기 스스로 자기 감정의 무한성을 영원의 필연성으로 이해한다. 이 이해를 향한 '감정분석학'[周易]은 매우 어려운 학문으로 다가오지만[夕惕若厲], 오직 이 학문만이 행복의 방법이다[无咎].

---

5. 九四: 감정의 행복

건괘(乾卦)의 구사(九四)는 감정에 대한 타당한 인식이 왜 어려운지 설명합니다. 우리에게 익숙한 감정 이해 방식은 감정을 발생시키는 원인이 외부에 별도로 존재하며, 그것으로 인해 감정이 결정되었다는 것입니다. 가장 대표적으로 '너 때문에' 또는 '이것 때문에' 등과 같은 표현이 있습니다. 그러나 궁극적으로 감정을 느끼며 그에 대한 개념을 형성하는 것은 우리 자신입니다. 감정의 개념을 형성하는 나 자신이 없다면, 지금 나의 존재를 확인할 수 없습니다. 감정에 대한 개념을 형성함으로써 감정으로 존재하는 우리 자신이 감정의 존재에 관한 한 단 하나의 유일하며 근본적인 원인이라는 뜻입니다.

우리가 감정에 대한 개념을 '몸의 순간 변화'로 정의하는 한에서 몸의 순간 변화는 몸의 존재 없이는 불가능합니다. 오직 이 사실로부터 몸의 순간 변화에 관한 원인은 몸 자신일 수밖에 없습니다. 여러 이유로 몸이 변화할 수 있지만, 몸이 존재하지 않는다면 몸의 변화는 상상할 수 없습니다. 궁극의 원인을 찾아보면 결국 몸의 존재에 의해서 몸의 변화도 있습니다. 결국 몸의 변화로서 감정에 대한 개념의 형성 주체 그리고 몸의 존재로부터 몸의 변화가 이루어진다는 이 두 가지 논점으로부터 감정이 외부 원인에 의해서 결정되지 않는다는 사실은 확실합니다.

이상의 논의를 초구(初九)의 '잠룡'(潛龍)과 구이(九二)의 '현룡'(見龍)으로 정리할 수 있습니다. 공간과 시간을 통해서 구체적으로 드러난 모든 감정(見龍在田: 九二)은 외부 원인이 아닌 자기 본성에 고유한 필연성(潛龍: 初九)에서 유래합니다. 이로부터 감정의 원인은 절대적으로 외부 원인이 아니라 자기 원인이라는 사실이 밝혀집니다. 즉, 감정[龍]은 자기 존재를 이해함에 있어서 자기 본성의 필연성을 뜻하는 '잠룡'(潛龍) 또는 잠룡이 존재하는 '연못'(淵)을 떠날 수 없습니다. 감정이 이 진실을 떠나서 자기를 이해하면, 그 즉시 외부 원인에 의해서 자신이 결정되었다는 인식의 오류에 빠지게 됩니다.

감정은 자기 안에 자기 존재에 고유한 본성의 필연성을 떠날 수 없습니다. 연못(淵) 안에 있는 잠룡(潛龍)입니다. 감정은 자기 본래의 진실 안에서 자기를 이해해야 합니다. 그러나 뜻밖에 감정은 얼마든지 앞에서 제시한 사례에 근거하여 얼마든지 외부 원인으로 자신을 잘못 이해할 수 있습니다. 우리는 이러한 인식의 오류가 발생하게 되는 이유가 무엇인지 찾고 있습니다. 감정이 자기 안에 본래부터 인식의 오류를 품고 있는 것일까요? 이제 우리는 이 물음에 대한 답을 찾을 수 있습니다. 몸은 자연 안에서 무한한 방식으로 무한하게 존재하며, 동시에 그렇게 무한한 몸이 서로 교차함으로써 서로에게 영향을 주고받습니다.

이처럼 몸과 몸은 서로 교차함으로써 순간 변화인 감정으로 자신을 변화시키기 때문에 얼마든지 우리는 감정에 대한 이해를 감정 외부의 몸(또는 외부 몸의 순간 변화로서 감정)에 둘 수 있습니다. 여기에서 보면 우리가 감정을 외부 원인으로 이해하는 것도 지극히 당연합니다. 즉, 외부 원인에 의해서 감정이 결정되었다고 이해하는 것도 자연스럽다는 뜻입니다. 그럼에도 불구하고 우리가 그 이해를 오류라고 규정하는 유일한 근거는 감정은 영원의 필연성으로 자기 존재에 관하여 자기 본성의 필연성을 따른다는 사실에 있습니다. 자연 안에 무한한 방식으로 무한하게 존재하는 것이 몸이며, 그 가운데 하나가 지금 우리 자신의 몸입니다. 무한한 몸이 교차함으로써 몸의 순간 변화를 일으킵니다. 그러나 몸의 순간 변화는 몸의 존재 없이 불가능하기 때문에 기원을 따져보면 몸의 존재가 몸의 순간 변화에 관한 유일한 원인입니다.

이 두 가지 논점에서 보면, 우리가 감정을 외부 원인으로 의존함으로써 이해한다고 해서 그것이 곧 감정 안에 감정 인식의 오류를 본질로 포함하고 있다는 것을 뜻하지 않습니다. 이 지점에서 우리는 17세기 서양 철학을 대표하는 스피노자의 『윤리학』(『감정의 예속과 자유』, 성동권, 부크크, 2024.)을 참고할 필요가 있습니다.

제4부 정리 2: 감정의 수동과 능동

우리는 자연의 한 부분인 한에서 수동적이다. 왜냐하면 자연의 모든 것은 자신과 다른 것에 의해서 파악되는 자연의 일부이기 때문이다.

제4부 정리 3: 감정의 유한성

인간이 자기 존재를 지속하는 힘은 제한되어 있으며 외부 원인의 힘에 의하여 무한히 압도된다.

제4부 정리 4: 묻고 배우는 감정의 이성

인간이 자연의 일부로 존재하지 않는다는 것은 불가능하며, 그렇기 때문에 자기 몸의 변화를 오직 자기 몸의 본성으로 이해함으로써 그 자신이 타당한 원인으로 존재하는 것도 불가능하다.

스피노자에 의하면, 외부 원인에 의존하여 감정을 이해하는 수동적 인식은 자연스러운 것입니다. 즉, 감정에 대한 타당한 인식만을 형성하며 살겠다는 것은 오히려 억지에 가까운 것입니다. 그러나 스피노자는 다음과 같이 말합니다.

제5부 정리 3: 감정의 자기이해

수동적인 감정은 우리가 그에 대해서 명석하고 판명한 관념을 형성하는 즉시 더 이상 수동적이 아니게 된다.

제5부 정리 4: 감정의 이성

우리가 명석하고 판명한 개념을 형성할 수 없는 몸의 변화는 없다.

우리는 얼마든지 외부 원인에 의해서 감정이 결정되었다는 수동적 인식으로 감정을 이해할 수 있지만, 얼마든지 우리는 감정에 대한 타당한 인식을 형성할 수 있는 능력을 본래부터 가지고 있습니다. "우리가 명석하고 판명한 개념을 형성할 수 없는 몸의 변화는 없다."라고 분명하게 말했습니다. "우리는 자연의 한 부분인 한에서 수동적이다."[제4부 정리 2:]라고 말했지만, "수동적인 감정은 우리가 그에 대해서 명석하고 판명한 관념을 형성하는 즉시 더 이상 수동적이 아니게 된다."[제5부 정리 3]이라고 말했습니다. 이 지점에서 우리는 인간 정신의 능동성을 확인할 수 있습니다. 감정은 외부 원인에 의해서 무한히 결정되며 압도될 수 있다고 이해될 수 있지만, 그럼에도 불구하고 감정은 얼마든지 자기원인으로 자신을 타당하게 이해할 수 있습니다.

우리가 이 논점을 명확히 이해하면, 다음과 같은 질문을 예상할 수 있습니다.

서로 다른 이 두 가지 이해는 우리에게 선택으로 주어진 것일까요?

욕망의 이성에 근거하여 보면, 답은 지극히 당연합니다. 서로 다른 이 두 가지 이해는 그 어떤 이유로도 선택이 아닙니다. 우리는 [제5부 정리 3]으로 감정을 이해해야 합니다. 이 이해를 건괘(乾卦)의 구사(九四)가 다음과 같이 확인합니다.

九四: 或躍. 在淵, 无咎.
　구사　혹약　재연　무구

혹약(惑躍)은 구이(九二)의 현룡(見龍)이 잠용(潛龍)을 떠나(躍) 자신을 이해하는 것을 뜻합니다. 구삼(九三)의 군자는 매순간 무한한 감정을 이해함에 있어서 '반드시' 건(乾)으로 해야 합니다. 모든 감정은 원형리정(元亨利貞) 안에 있습니다. 그러나 스피노자의 윤리학에 근거하여 "인간이 자기 존재를 지속하는 힘은 제한되어 있으며 외부 원인의 힘에 의하여 무한히 압도된다."[제4부 정리 3: 감정의 유한성]에서 보면, 군자는 얼마든지 건(乾)이 아닌 외부 원인으로 감정을 이해할 수 있습니다. 이것이 '혹약'(惑躍)입니다. 정이는 『역전』(易傳)에서 혹(惑)의 뜻을 다음과 같이 밝힙니다.

惑, 疑辭, 謂非必也.
혹(惑)은 의심을 뜻하는 말이니, '반드시'가 아님을 말한다.

의사(疑辭)는 의심을 뜻합니다. 감정에 대한 의심이며, 근본적으로 감정이 자기원인으로 존재하며 활동한다는 사실에 대한 의심입니다. 감정이 외부 원인에 의해서 결정되었다고 잘못 이해하는 것입니다. 감정에 고유한 본성의 필연성으로 감정을 이해하는 것이 아닙니다. 이로부터 '약'(躍)은 당연히 감정에 대한 타당한 인식으로부터 벗어난 것을 뜻합니다. 주자도 이러한 맥락에서 혹약(惑躍)을 이해합니다.

惑은 의심하여 결정하지 못하는 말이다. 躍은 인연한 바가 없어

땅에서 떠남이니, 다만 날지 못할 뿐이다.

_『주역전의 上』

성백효 譯註/ 전통문화연구회(2016), 152.

감정을 그 자체의 본성으로 인식하지 못하면 감정을 믿을 수 없게 됩니다. 감정의 순수지선에 대해서 의심하게 됩니다. 이러한 맥락에서 인연한 바가 없다는 것은 감정에 대한 이해를 본성의 필연성으로 하지 않는다는 것을 의미합니다. 바로 앞 인용에 있는 정이의 '비필'(非必)과 맥락을 같이 합니다. '필연성'(必)으로 감정을 이해하지 못하는 것입니다.

그런데 감정에 대한 타당하지 못한 이해에도 불구하고, 앞에서 스피노자가 언급한 바와 같이 "우리가 명석하고 판명한 개념을 형성할 수 없는 몸의 변화는 없다."는 것도 감정에 고유한 영원의 진실입니다. 명석하고 판명한 개념으로 몸의 변화인 감정을 이해한다는 것은 감정 그 자체에 고유한 본성의 필연성으로 감정의 순수지선을 영원무한의 생명과 사랑으로 확인한다는 것을 뜻합니다. 이는 잠룡(潛龍)으로 현룡(見龍)을 이해하는 것입니다. 그래서 구사(九四)는 혹약(惑躍)에 이어서 다음과 같이 말합니다.

在淵, 无咎.
재 연   무 구

재연(在淵)은 잠룡(潛龍: 본성의 필연성)으로 현룡(見龍: 구체

적인 감각적 현상으로 드러난 감정)을 이해하는 것입니다. 이것이 '무구'(无咎)입니다. 이와 관련하여 구삼(九三)을 다시 보겠습니다. 효사(爻辭)의 내용은 다음과 같습니다.

九三: 君子終日乾乾. 夕惕若厲, 无咎.
구삼　군자종일건건　석척약려　무구

자기 존재의 성스러움[大人]을 이해하는 사람[君子]은 매순간 자기 몸이 새롭게 느끼는 감정을 乾 안에서 이해한다[乾乾]. 즉, 자기 스스로 자기 감정의 무한성을 영원의 필연성으로 이해한다. 이 이해를 향한 '감정분석학'[周易]은 매우 어려운 학문으로 다가오지만[夕惕若厲], 오직 이 학문만이 행복의 방법이다[无咎].

매순간 무한한 방식으로 무한한 감정을 건(乾)의 원형리정(元亨利貞)으로 이해하는 것이 무구(无咎)입니다. 따라서 재연(在淵)은 감정을 외부 원인에 의존하여 해석하거나 겉으로 드러난 겉모습으로 평가하는 것이 아닙니다. 감정 그 자체에 고유한 본성의 영원한 필연성에 근거하여 감정의 무한성을 순수지선으로 이해하는 것입니다. 참고로 주역을 설명하는 십익(十翼) 가운데 하나인 『문언전』(文言傳)을 보면, 구사(九四)의 뜻을 다음과 같이 말합니다.

군자가 進德하고 修業함은 때에 미처 <道>를 펴고자 함이다.
_『주역전의 上』
성백효 譯註/ 전통문화연구회(2016), 170.

덕에 나아간다는 뜻의 진덕(進德)은 감정에 대한 타당한 인식을 형성하는 것입니다. 일을 올바르게 한다는 뜻의 수업(修業)은 감정에 대한 타당한 인식으로 살아가는 것을 뜻합니다. 인간이 하는 모든 일은 감정이 없이 불가능합니다. 감정을 느끼며 그에 대한 이해에 근거하여 모든 일이 발생합니다. 이때 감정에 대한 타당한 인식은 당연히 생명과 사랑을 지키는 일을 발생시킬 것이며, 반대로 감정에 대한 타당하지 못한 인식은 당연히 생명과 사랑을 부정하는 일을 발생시킬 것입니다. 그렇기 때문에 일을 바르게 하는 수업(修業)은 감정에 대한 타당한 인식으로서 진덕(進德)에 기초합니다.

그러므로 우리는 구사(九四)를 다음과 같이 번역하고 이해할 수 있습니다.

九四: 或躍. 在淵, 无咎.
구사   혹약   재연   무구

감정분석학을 연마하는 '나'[龍]는 간혹 외부 원인에 의해서 자신의 감정이 결정되었다는 인식의 오류를 범할 수 있다[或躍]. 이 오류로 인하여 자기 스스로 자신의 감정 또는 자기가 경험하는 감정을 떠나려고 생각할 수 있다. 그러나 그렇게 하지 않고 자신의 감정을 비롯해서 세상의 모든 감정을 본성에 고유한 필연성으로 이해하면[在淵], 자기는 감정의 순수지선을 이해함으로써 최고의 행복을 누린다[无咎].

6. 九五: 감정의 자유

우리가 우리 자신의 감정을 비롯해서 자연 안에서 경험하는 모든 감정을 그 자체에 고유한 영원의 필연성으로 이해하는 데에 성공하면, 모든 감정의 순수지선을 이해하게 됩니다. 좋은 감정 또는 좋지 않은 감정의 구분은 엄격히 말해서 감정에 대한 인식의 오류에서 기원합니다. 공간과 시간의 형식으로 지각되는 모든 감정(見龍在田)은 자기 존재에 관하여 절대적으로 본성의 필연성(潛龍)을 따릅니다. 이때 비로소 감정을 영원 무한의 생명과 사랑으로 이해하게 됩니다(利見大人). 이처럼 감정의 순수지선을 매순간 구체적으로 경험하는 감정에서 배우는 사람이 군자(君子)입니다. 이 인식 이외 참다운 행복은 없습니다. 우리가 이러한 방식으로 감정을 이해할 때, 우리 모두는 감정 안에서 자유로우며 더 나아가 감정의 서로 다름을 배움으로써 순수지선을 무한히 즐길 수 있게 됩니다.

건괘(乾卦)의 구오(九五)는 다음과 같이 말합니다.

九五: 飛龍在天, 利見大人.
구오   비룡재천   리견대인

감정에 대한 타당한 인식을 형성하면(惑躍在淵: 九四), 감정의 순수지선을 확인하기 때문에 우리는 감정의 진실대로 살아가는 자유를 확보합니다. 이 자유가 '비룡'(飛龍)입니다. 용이

하늘을 자유롭게 나는 것과 감정으로 존재하는 모든 것이 감정의 진실 안에서 감정대로 사는 것은 본질적으로 일치합니다. 특히 이 자유를 '하늘의 자유'를 뜻하는 '재천'(在天)으로 부르는 이유는 자연 안에 존재하는 그 어떤 감정도 자신의 순수지선을 부정당하지 않기 때문입니다. 감정으로 살아가는 땅(在田)을 초월한 어떤 절대적인 자유(在天)가 있다는 뜻으로 잘못 이해하면 안 됩니다. 매순간 새롭게 느끼는 감정을 초월한 절대적인 감정이 별도로 존재한다는 것이 아닙니다. 자연 안에 무한한 방식으로 무한한 감정 각각이 자기 존재에 관하여 영원의 필연성을 본성으로 갖는다는 사실이 이미 '재전'(在田)의 '재천'(在天)입니다. 이 사실을 이해하기 때문에 자연의 그 어떤 감정도 자신의 순수지선을 부정당하지 않습니다. 이 사실이 재천(在天)입니다.

17세기 서양 근대 철학자 스피노자는 '자유'를 다음과 같이 정의합니다.

제1부 정의 7: 감정의 자유

어떤 것이 자유롭다고 말할 수 있는 것은 그것이 오직 자기 본성의 필연성만을 따라서 존재하고 행동하도록 결정되기 때문이다. 반대로 어떤 것이 필연적이라거나 보다 정확한 의미에서 강제된다고 말할 수 있는 이유는 그 어떤 것이 자기 외부의 어떤 것에 의해서 결정됨으로써 고정적이며 한정적인 방식으로 존재하고 행동하기 때문이다.

_『감정으로 존재하는 신』

성동권, 부크크, 2023.

　　자유는 밖에서 구하는 것이 아닙니다. 존재하는 것이 자기 존재에 고유한 본성의 필연성으로 존재할 때, 이것이 자유입니다. 그렇기 때문에 감정의 존재 자체가 이미 자유이며, 감정에 고유한 본성의 필연성을 이해하는 것도 자유입니다. 이 이해를 형성하는 즉시 감정의 순수지선을 이해하기 때문에 감정의 순수지선 안에서 감정의 순수지선으로 살아가는 것이 진정한 자유입니다. 이 자유가 비룡(飛龍)입니다.

　　정이(程伊)는 이 자유를 다음과 같이 요약하였습니다.

　　天位(天子의 지위)로 나아가는 것이다.

_『주역전의 上』

성백효 譯註/ 전통문화연구회(2016), 152.

　　천자(天子)는 말 그대로 하늘(天)의 자녀(子)라는 뜻입니다. 주역의 감정분석학에 의하면, 천(天)은 영원무한의 생명과 사랑입니다. 자연의 모든 생물 및 무생물을 낳은 단 하나의 실체입니다. 존재하는 것은 자기 스스로 존재하는 것이 아니라면 자기 아닌 다른 것에 의해서 존재하도록 결정된 것입니다. 이 사실을 우리 자신에 대입해 봅시다. 우리 자신이 자신의 존재를 결정하지 않았다는 것은 부모의 존재로부터 지극히 당연합니다. 부모는 어떻습니까? 당연히 부모의 부모에 의해서 존재하도록 결정되었습니다.

이렇게 인과의 필연성으로 우리 자신의 존재를 생각해 보면, 영원무한의 생명과 사랑으로 존재하는 부모는 영원의 필연성으로 명백합니다. 이 존재에 의해서 우리 자신이 존재하도록 결정되었기 때문에 우리는 천자(天子)입니다. 이 존재가 느끼는 감정이라면, 감정의 진실도 당연히 천자의 감정입니다. 즉, 영원무한의 생명과 사랑이 우리 자신의 감정 및 자연 전체의 감정에 고유한 영원의 본성입니다.

감정으로 존재하며 감정으로 살아가는 우리 자신입니다. 그런데 우리가 우리 자신의 감정을 비롯해서 자연의 모든 감정을 위와 같은 방식으로 이해하면, 우리는 감정에 대한 절대적인 믿음을 형성합니다. 자연 안에 존재하는 그 어떤 감정도 생명과 사랑을 부정하지 않는다는 것입니다. 우리는 감정 그 자체에 결정된 감정의 영원한 본성에 대한 믿음 안에서 자연 안에 무한히 존재하는 감정에 나아가 그 각각의 곡절 및 사정에 대해서 묻고 배워야 합니다. 그 결과 우리가 궁극적으로 깨닫는 것은 무엇일까요? 우리가 감정을 향한 절대적인 믿음 안에서 감정 각각에 고유한 본성을 배워서 이해하면, 우리는 감정의 순수지선을 확인하게 됩니다. 그 결과는 절대적으로 생명과 사랑을 어기지 않습니다.

이것으로 우리는 다시 감정의 진실이 영원의 필연성으로 생명과 사랑 안에 있다는 것을 확인합니다. 이 확인으로부터 우리는 감정 안에서 자유롭고 감정대로 사는 자유를 누립니다. 이렇게 감정에 대한 타당한 이해 안에서 절대적인 자유를 누리는 것이 천자(天子)의 자리인 천위(天位)에 나아가는 것입니다. 이로부터 우리는 '리견대인'(利見大人)이 무엇인지 알 수 있습니다.

九五: 飛龍在天, 利見大人.
구오   비룡재천   리견대인

감정에 대한 타당한 인식으로부터 감정대로 살아가는 자유는 절대적인 자유이며 행복입니다. 우리가 이렇게 감정을 이해할 때, 우리는 무엇보다도 우리 자신의 성스러움을 확인하게 됩니다. 이것이 첫 번째 뜻입니다. 다음으로 우리가 이렇게 감정을 이해할 때, 우리에게 감정을 경험한다는 것은 성스러운 하늘을 경험하는 것입니다. 이것이 두 번째 뜻입니다.

그러나 무엇보다도 자기 감정에 대한 자기이해 안에서 감정을 느끼며 감정으로 살아가는 자기 존재의 장엄함을 이해해야 합니다. 그때 비로소 자기는 세상의 모든 감정에 나아가 생명과 사랑을 향한 영원한 믿음 안에서 그 각각에 고유한 본성을 영원의 필연성으로 인식하며, 그것으로 자기는 세상 모든 감정을 순수지선으로 경외할 수 있게 됩니다. 이전에는 감정을 감각적 현상이나 감정으로 인해 발생한 사건이나 행동의 겉모습만을 가지고 감정의 선악을 판단했지만, 이제는 감정 그 자체에 고유한 본성의 필연성을 인식함으로써 감정의 순수지선을 이해합니다.

　우리가 이렇게 감정의 순수지선을 이해하며 살아갈 때, 우리 모두는 땅에서 서로 다름으로 살지만, 본질적으로 모든 것은 영원무한의 생명과 사랑으로 살아가는 거룩하고 성스러운 천국 안에 있습니다. 땅 위를 살아가는 것이 곧 천국을 살아가는 것입니다. 그러므로 우리는 구오(九五)의 효사(爻辭)를 다음과 같이 번역하고 이해할 수 있습니다.

九五: 飛龍在天, 利見大人.
구오　비룡재천　리견대인

　마침내 '감정분석학'[周易] 안에서 감정을 느끼며 감정으로 살아가는 '자유'를 누리는 '나'[飛龍]는 '다 좋은 세상'을 누리는 축복을 받는다[在天]. 왜냐하면 자기 스스로 자신의 감정을 감각적 현상으로 해석하지 않고 그 자체에 고유한 본성으로 이해하는 한에서 자기는 자연의 모든 감정을 그 자체에 고유한 본성의 영원한 필연성으로 이해하기 때문이다. 이때 비로소 나는 천지의 장엄함을 이해하는 성스러운 사람[大人]으로 '나' 자신을 이해한다[利見].

7. 上九: 감정의 뉘우침
　　　상 구

　천국은 지금 우리가 살아가는 공간과 시간을 초월한 것이 아닙니다. 죽음 이후 가는 세상은 더더욱 아닙니다. 천국은 감정을 느끼며 감정으로 살아가는 우리 자신의 진실입니다. 감정을 느끼는 순간이 천국을 느끼는 순간이며, 감정에 대한 타당한 인식으로 살아가는 순간이 천국을 살아가는 성스러운 순간입니다. 왜냐하면 감정은 영원의 필연성으로 생명과 사랑 안에서 존재하며 활동하기 때문입니다. 이 지점에 이르러 우리는 질문할 수 있습니다.

분노나 슬픔 같은 감정으로 인해 살인이나 폭력 같은 비극이 발생하는 것은 어떻게 설명할 수 있는가?

이 질문에 대한 답은 앞에서 충분히 논의하였습니다. 그러한 비극은 감정 때문이 아니라 감정에 대한 인식의 오류로 인해 발생합니다. 감정 안에서 우리는 이미 절대 행복입니다. 이 행복은 감정에 대한 타당한 인식이 지켜줍니다. 그러나 감정 안에서 우리 모두가 절대 행복이라는 사실만을 고집하며 감정분석학에 근거하여 감정에 대한 타당한 인식을 지키고 가꾸지 않으면, 우리는 그 즉시 감정에 대한 인식의 오류에 빠지게 됩니다. 그 결과가 방금 전에 언급한 비극입니다.

우리가 이 사실을 확인하면, 감정의 절대 행복을 누리는 천국은 '뉘우치지 않는 세상' 또는 '뉘우침이 없는 세상'이 아닙니다. 오히려 감정에 대한 타당한 인식을 향해서 감정의 인식 오류를 뉘우치며 용서하는 세상이 천국입니다. 인간 정신의 능동성은 인식의 오류를 범하지 않는 것이 아니라 인식의 오류 한 가운데에서도 얼마든지 타당한 인식을 형성하는 것입니다. "수동적인 감정은 우리가 그에 대해서 명석하고 판명한 관념을 형성하는 즉시 더 이상 수동적이 아니게 된다."[제5부 정리 3: 감정의 자기이해]라고 스피노자가 확인했습니다.

이 사실을 건괘(乾卦)의 상구(上九)는 다음과 같이 확인합니다.

上九: 亢龍有悔.
상구 항룡유회

항룡(亢龍)은 절대 자유를 누리는 감정의 진실입니다. 이 감정은 뉘우침(悔)을 가진다(有)고 하였습니다. 절대 자유는 감정의 진실이지만, 이 자유를 누리는 방법은 감정에 대한 타당한 인식에 있습니다. 그러나 구사(九四)와 구오(九五)에서 논한 바와 같이 우리는 얼마든지 감정을 자기 본성의 필연성이 아닌 외부 원인에 의존하여 이해할 수 있다고 하였습니다. 이 사실로부터 절대 자유 안에서 절대 자유를 누리는 방법은 감정에 대한 인식의 오류를 자기 스스로 바로 잡는 감정의 자기이해에 있다는 것을 알 수 있습니다. 이 이해가 유회(有悔)입니다.

그러므로 우리는 상구(上九)를 다음과 같이 번역하고 이해할 수 있습니다.

上九: 亢龍有悔.
_{상 구 항 룡 유 회}

'감정분석학'[周易]을 배움으로써 감정 안에서 절대 자유와 절대 행복을 누리는 성스러운 '나'[亢龍]는 영원의 필연성을 향한 믿음 안에서 무한한 방식으로 무한히 새로운 자신의 감정 및 자연 전체의 감정을 영원의 필연성으로 배워서 이해한다. 그렇기 때문에 '나'는 감정에 대한 인식의 오류를 범하지 않는 것이 아니라 인식의 오류를 뉘우친다[有悔].

8. 用九: 감정의 경외
_{용 구}

감정의 영원한 진실인 생명과 사랑 안에서 감정에 대한 인식의 오류를 바로잡음으로써 감정의 진실 그대로 생명과 사랑으로 살아가는 것이 참다운 행복입니다. 함께 뉘우치며 함께 용서하는 삶이 감정으로 존재하며 살아가는 우리가 누릴 수 있는 최고의 행복입니다. 여기에서 인간의 삶은 그 자체가 가장 아름다운 '예술'입니다. 이 예술로 살아가는 인간의 행복이 문명의 번영과 발전을 위한 유일한 방법이라는 것이 주역의 '감정분석학'입니다.

감정분석학을 연마함으로써 자기의 감정에 고유한 진실을 이해할 때, 어느 한 감정만이 순수지선이 아니라 자연 안의 모든 감정이 영원의 필연성으로 순수지선임을 깨닫습니다. 우리는 자신의 감정을 자신과 다른 방식으로 존재하는 감정에게 강요하기 보다는 자신과 무한히 다른 감정을 그 자체의 영원한 필연성으로 배워서 순수지선으로 확인합니다. 이 확인이 용구(用九)의 견군룡(見羣龍)입니다. 이 이해가 분명할 때, '나'의 감정만을 진리로 강요하지 않습니다. 이것이 무수(无首)입니다.

그러므로 우리는 건괘(乾卦)의 용구(用九)를 다음과 같이 번역하고 이해할 수 있습니다.

用九: 見羣龍无首, 吉.
용구 견군룡무수 길

지금 '나'의 존재가 영원의 필연성 자체인 乾 안에서 순수지선으로 결정된 것과 같이 자연 전체도 그러하다. 내가 느끼는 '나' 자신의 감정을 비롯해서 내가 경험하는 자연의 모든 감정이 乾의 순수지선을 증명한다[見羣龍]. 이러한 방식으로 세상의 모든 감정을 이해하고 존중할 때[无首], '다 좋은 세상'은 요지부동이다[吉].

2장. ䷁ 坤: 자기원인의 자유
곤

1. 卦辭: 감정에 대한 타당한 이해
패 사

건괘(乾卦)에서 우리가 확인한 감정의 절대적 진실은 다음
과 같습니다.

乾卦-卦辭: 元, 亨, 利, 貞.
건 괘　패 사　원　형　리　정

자기원인으로 존재[元]하며 자기원인으로 활동[亨]하는 것이 최
고의 행복[利]이다. 이 존재는 영원의 필연성으로 자기 안에서 자기
존재와 활동에 대한 개념을 자기 스스로 이해[貞]한다.

무한한 방식으로 무한하게 존재하는 감정은 철두철미 '자
기원인'입니다. 우리가 감정을 느낄 때, 감정이 우리 자신입니
다. 그리고 감정에 관한 한 우리 자신이 원인이며 결과입니다.
이처럼 감정의 진실은 자기원인이기 때문에 감정을 느끼는 우
리가 감정으로 살아가는 것도 당연히 자기원인으로 활동하는
것입니다. 이것이 최고의 행복입니다. 절대적인 자유가 여기에

있습니다. 이 자유는 감정으로 존재하는 우리 자신에게 영원의 필연성으로 주어진 최고의 행복입니다. 영원의 필연성으로 감정을 느끼며 영원의 필연성으로 감정대로 살아갑니다. 이 사실을 누가 이해할까요? 감정을 느끼며 감정으로 살아가는 우리 자신이 이해합니다. 이 사실을 이번에 우리가 공부하는 '건괘'(坤卦)의 괘사(卦辭)에서 다시 확인할 수 있습니다.

卦辭: 元, 亨, 利, 牝馬之貞.
괘사　원　형　리　빈마지정

그런데 곤괘의 괘사에서 '원형리'(元亨利)는 건괘와 동일하지만, 정(貞)의 경우에는 '빈마지정'(牝馬之貞)으로 이야기합니다. 여기에서 우리는 감정의 진실을 밝힌 건괘에 이어서 곤괘가 감정에 대한 타당한 인식(貞)이 무엇인지 밝히고 있다는 것을 확인할 수 있습니다. 우선 우리는 '주역의 감정분석학'이 '정'(貞)의 개념을 어떻게 정의하고 있는지 확인하는 것으로 시작하겠습니다.

정(貞): 감정은 영원의 필연성으로 자기 안에서 자기 존재와 활동에 대한 개념을 자기 스스로 이해[貞]한다.

자기원인으로 존재하는 것(감정)은 당연히 자기이해에 관해서도 자기가 원인입니다. 감정의 자기이해를 '정'(貞)으로 정의하는 이유입니다. 그런데 곤괘의 괘사를 보면 정(貞) 앞에

'빈마'(牝馬)가 있습니다. 빈(牝)은 '암컷'을 뜻합니다. 보다 더 크게 말하자면, '여성(女性) 성(性)'을 뜻합니다. 이때 여성을 남성과 비교해 보면, 이 둘 사이에는 본질적인 차이가 극명합니다. 그것은 바로 '임신'입니다. 오직 여성만이 남성과의 사랑을 통해서 임신 및 출산을 합니다. 임신에 관하여 여성과 남성의 인식은 완전히 다릅니다. 여성은 자기 스스로 자신의 임신을 이해하지만, 남성의 경우는 여성의 몸에 발생하는 변화를 감각적으로 지각한 이후 여성의 임신을 이해합니다.

이를 근거로 우리는 '생각'과 그에 따른 '인식'을 두 가지로 구분할 수 있습니다. 여성 성(性)에 고유한 생각과 인식, 그리고 남성 성(性)에 고유한 생각과 인식이 그것입니다.

	생각	인식
여성 성(性)	자기 안에서 자기 스스로 생각	자기이해의 개념 형성
남성 성(性)	자기 아닌 다른 것으로 생각	현상에 대한 감각적 지각

위의 표에 근거하면, 건괘의 괘사에 등장하는 인식으로서 '정'(貞)은 엄격히 말해서 여성 성(性)의 생각이며 인식입니다. 여기에서 우리가 반드시 주의해야 할 것은 몸의 감각적 현상에 의존하여 성(性)을 여성과 남성으로 구분하는 것이 아니라

는 뜻입니다. 두 가지 논점을 우리가 고려해야 합니다. 하나는 앞에서 언급한 바와 같이 '임신'이며, 다른 하나는 '임신'에 대한 생각 및 이해입니다. 몸의 감각적 현상에 의존하여 보면, 우리 모두는 남성 아니면 여성입니다. 그러나 감각적 현상으로서 남성과 여성에 상관없이 우리 모두는 여성의 임신으로 태어난 존재입니다. 이 여성을 우리는 '엄마'라고 부릅니다. 이러한 맥락에서 여성 '성'(性)에 고유한 인식으로서 '자기이해의 개념 형성'은 엄격히 말해서 여성의 인식이기 보다는 여성으로 존재하는 '엄마의 인식'입니다. 이로부터 남성 '성'(性)의 인식은 엄격히 말해서 감각적 현상으로서 남성이 아니라 남성으로 존재하는 '아빠'의 인식입니다.

'여성'으로서 '엄마'와 '남성'으로서 '아빠', 각각에 고유한 생각과 인식의 구분은 서양의 영어 문화권에서도 찾아 볼 수 있습니다. 'conceive'는 임신하다는 뜻입니다. 그런데 놀랍게도 생각하다는 뜻도 담겨 있습니다. 임신은 당연히 여성에 고유한 본질이며 기능입니다. 여기에 '생각'의 의미가 담겨 있습니다. 그리고 이것의 명사형은 'conception'입니다. 생각의 결과 형성된 구체적인 '개념'을 뜻합니다. 이 주제는 'perceive'와 함께 보면 분명합니다. 'perceive'는 지각하다는 뜻입니다. 이것은 'conceive'와 달리 대상 사물의 감각적 현상으로 사물에 대해서 생각하는 것입니다.

이 두 가지 구분에 입각하여 다음과 같은 생각을 할 수 있습니다. 임신은 오직 여성만이 하는 것입니다. 이 사실은 오직 여성이 자기 안에서 자기 스스로 생각함으로써 확인합니다. 이것이 임신하다와 생각하다를 동시에 품고 있는 'conceive'의 뜻입니다. 이로써 '개념'을 뜻하는 'conception'은 자기 스스로 생각함으로써 자기 스스로 이해를 형성하는 '자기이해'입니다. 반면, 'perceive'와 이로부터 파생되는 'perception'은 감각적 현상에 대한 지각입니다.

　이렇게 서로 다른 두 가지 생각과 인식의 교차로 생겨난 것이 부모의 자식으로 존재하는 남성 또는 여성입니다. 나는 남성이기 때문에 여성의 인식이 없다고 생각하거나, 반대로 나는 여성이기 때문에 남성의 인식이 없다고 생각해서는 안 됩니다. 우리 모두는 남성 아니면 여성입니다. 그러나 우리 모두는 '여성으로서 엄마'와 '남성으로서 아빠'에 의해서 태어난 자식입니다. 자식으로서 남성 또는 여성 안에 엄마의 인식과 아빠의 인식이 있습니다. 그러나 우리는 인식에 관하여 순서를 반드시 확인해야 합니다. 여성으로서 엄마가 임신을 하지 않으면 남성으로서 아빠는 엄마의 임신을 절대적으로 알 수 없습니다. 또한 여성으로서 엄마가 임신의 사실을 자기 스스로 확인하지 않으면, 남성으로서 아빠 또한 임신의 사실을 인식할 수 없습니다.

　서로 다른 여성의 인식과 남성의 인식 사이에 놓인 선후의 질서는 다음과 같습니다.

　여성의 인식으로서 '자기이해'가 먼저이며, 남성의 인식으로서

'감각인식'이 다음입니다.

여성의 인식 없이는 남성의 인식이 없습니다. 사실상 반대의 경우도 마찬가지입니다. 왜냐하면 여성과 남성이 서로 교차하지 않으면 임신은 절대적으로 불가능이기 때문입니다. 그러나 임신에 대한 인식에 있어서만큼은 이 둘 사이에 엄정한 '선후'(先后)의 질서가 있습니다.

이제부터는 엄마(여성)의 인식에 대해서 집중적으로 검토해 보겠습니다. 자기 안에서 자기 스스로 생각하고 이해를 형성하는 것은 자기가 자기를 따르는 것이므로 '유순'(柔順)입니다. 그리고 이 둘 사이의 선후 질서는 절대적으로 변하지 않기 때문에 이 인식의 순서는 굳건히 진행되는 '건행'(健行)입니다. 이 두 가지가 엄마의 인식에 고유한 본성입니다. 이 본성을 주역 곤괘는 괘사에서 '빈마지정'(牝馬之貞)이라 부릅니다. 그렇기 때문에 우리에게 중요한 것은 무슨 맥락에서 정(貞)을 여성으로서 엄마를 뜻하는 '빈'(牝)으로 설명했는지 이해하는 것입니다.

정이는 『역전』(易傳)에서 다음과 같이 빈마(牝馬)를 설명합니다.

암말은 유순하고 굳건히 걸어간다. 그러므로 그 象을 취하기를 '암말의 貞함[牝馬之貞]'이라고 말한 것이다.

_『주역전의 上』
성백효 譯註/ 전통문화연구회(2016), 152.

암말은 여성으로서 엄마이며, 이에 고유한 인식의 진실은 '유순'(柔順)과 '건행'(健行)입니다. 감정분석학은 '암말'을 학문의 '은유'로 이해합니다. 따라서 우리는 곤괘의 괘사 중 '빈마지정'을 다음과 같이 번역하고 이해할 수 있습니다.

卦辭: 元, 亨, 利, 牝馬之貞.
괘사 원 형 리 빈마지정

자기원인으로 존재[元]하며 자기원인으로 활동[亨]하는 것이 최고의 행복[利]이다. 이 존재로부터 자연의 모든 감정이 생겨나며[牝馬], 동시에 이 존재는 자기가 산출하는 모든 감정에 대한 이해를 자기 안에 본래부터 가지고 있다[貞].

다음으로 우리가 살펴볼 것은 '빈마지정'에 이어 등장하는 곤괘의 괘사입니다.

君子有攸往. 先迷後得, 主利. 西南得朋, 東北喪朋. 安貞吉.
군자유유왕 선미후득 주리 서남득붕 동북상붕 안정길

곤괘(坤卦)의 군자(君子)는 건괘(乾卦)의 구삼(九三)에 근거하여 자기 감정에 대한 자기이해를 통해서 감정의 순수지선을 이해하는 사람입니다.

乾卦-九三: 君子終日乾乾. 夕惕若厲, 无咎.
건괘 구삼 군자종일건건 석척약려 무구

자기 존재의 성스러움[大人]을 이해하는 사람[君子]은 매순간 자기 몸이 새롭게 느끼는 감정을 乾 안에서 이해한다[乾乾]. 즉, 자기 스스로 자기 감정의 무한성을 영원의 필연성으로 이해한다. 이 이해를 향한 '감정분석학'[周易]은 매우 어려운 학문으로 다가오지만[夕惕若厲], 오직 이 학문만이 행복의 방법이다[无咎].

'빈마지정'과 '건괘-구삼'에 근거하여 우리는 '군자유유왕'(君子有攸往)을 다음과 같이 이해할 수 있습니다.

君子有攸往.
군자유유왕

그러므로 감정분석학[周易]을 배우는 사람[君子]은 자연의 모든 감정에 나아가[有攸往] 감정에 대한 이해를 감각적 현상이 아닌 본성의 영원한 필연성으로 형성한다.

그런데 앞에서 논의한 바와 같이 '자기이해'가 가장 중요하며, 이 이해는 인식의 순서에 관하여 감각적 지각 보다는 앞에 있습니다. 그렇기 때문에 군자가 자신의 감정을 비롯해서 자연의 모든 감정을 인식함에 있어서 감정의 감각적 현상을 앞세우며 그것으로 감정을 이해하면 매우 어려운 지경에 처하게 됩니다. 우리는 무한한 방식으로 감정을 느끼며 경험하지만, 감정에 대한 올바른 인식은 감정의 자기이해입니다. 감정이 자기 존재에 관하여 본래부터 자기 안에 품고 있는 자기 본성의 필연성을 인식하는 것입니다.

이 인식이 분명할 때 감정의 무한한 현상을 순수지선으로 이해할 수 있습니다. 그렇지 않고 인식의 순서를 어기면, 이것은 '뒤'(감각 인식)에 있는 것을 '앞'에 두고, '앞'(자기이해)에 있는 것을 '뒤'에 두면 안 인식의 오류에 빠지게 됩니다. 이 문제를 지적하는 것이 '선미후득'(先迷後得)입니다. 따라서 우리는 이것을 다음과 같이 이해하고 번역할 수 있습니다.

先迷後得, 主利.
선 미 후 득   주 리

감정의 감각적 현상을 앞세우면[先] 감정에 대한 올바른 이해를 형성할 수 없으나, 감정을 느낀 이후[後] 감정의 본성을 스스로 이해하면[得] 오직[主] '다 좋은 감정'[利]을 확인한다.

다음으로 매우 어려운 주제는 '득붕'(得朋)과 '상붕'(喪朋)입니다.

西南得朋, 東北喪朋.
서 남 득 붕   동 북 상 붕

굳이 방위의 순서를 따져보면, 동(東)으로부터 서(西)이며 북(北)으로부터 남(南)입니다. 그렇기 때문에 서남(西南)은 동북(東北)을 긍정합니다. 이것을 앞에서 정리한 인식의 선후 관계에 대입하면[先迷後得], 동북(東北)은 선(先)이며, 서남(西南)은
                      선 미 후 득
후(後)입니다. 이 연장선에서 '서남'은 여성으로서 엄마의 인식과 남성으로서 아빠의 인식이 서로 교차하고 있다는 것을 의

미합니다. 후득(後得)이므로 득붕(得朋)입니다. 감정의 본성을 이해하는 자기이해 안에서 무한한 방식으로 무한한 감정의 현상을 순수지선으로 이해하는 것입니다. 반면, '동북'은 '서남'과 비교했을 때, 선(先)입니다. 감정에 대한 타당한 인식을 결여한 것입니다. 상붕(喪朋)입니다. 이 두 주제 역시 학문의 은유로 이해하는 것이 좋습니다. 따라서 우리는 득붕과 상붕을 다음과 같이 이해할 수 있습니다.

西南得朋, 東北喪朋.
서 남 득 붕　동 북 상 붕

西南은 東北 뒤[後]에 오며 東北은 西南 앞[先]에 있다. 감정의 본성으로부터 모든 감정은 순수지선이나[得朋], 감정의 현상으로부터 모든 감정은 선악으로 분열된다[喪朋].

이상의 번역으로부터 곤괘 괘사의 마지막 부분을 다음과 같이 이해할 수 있습니다.

安貞吉.
안 정 길

따라서 감정의 자기이해[安貞]가 최고의 행복이다[吉].

우리는 무한한 방식으로 무한한 감정을 느끼며 존재합니다. 우리가 만나는 모든 것도 이 방식으로 존재합니다. 이 진실 앞에서 우리는 그 어떤 의지적 노력을 할 수 없습니다. 감정을 느끼는 것은 지극히 자연스러운 것이며, 이 사실에 관한

한 우리에게는 선택의 여지가 없습니다. 감정을 거부할 수 없으며, 감정을 선택적으로 느끼겠다는 것은 터무니없는 것입니다. 그러나 우리는 다른 한편으로 감정에 대해서 좋은 것과 나쁜 것 또는 느끼고 싶은 것과 느끼고 싶지 않은 감정으로 판단합니다. 이러한 판단 또한 지극히 자연스러운 것입니다. 이 지점에서 우리는 우리 자신을 감정 앞에서 무기력한 존재로 바라볼 수 있습니다.

그러나 우리는 이와 정반대로 우리 자신의 감정 및 자연의 모든 감정에 대해서 절대적인 권능을 행사할 수 있습니다. 그 권능은 감정에 대한 타당한 인식을 형성하는 것입니다. 감정을 조절하거나 조작하는 것이 아니라 감정에 나아가 그에 고유한 본성을 이해하는 것입니다. 이 능력은 우리에게 절대적인 것입니다. 왜냐하면 우리 모두는 감정에 대해서 자기원인으로 존재하기 때문입니다. 자기 감정에 대해서 자기원인으로 존재하는 자기는 자기 감정에 대해서 자기원인으로 이해하는 능력을 갖습니다. 이 사실로부터 자기는 얼마든지 자기와 다른 방식으로 존재하는 감정에 대해서도 자기원인으로 이해할 수 있습니다.

감정을 느끼며 감정으로 존재한다는 사실은 자연의 모든 것에 공통됩니다. 자기원인이 아닌 것으로 존재하는 감정은 없습니다. 이 지점에서 모든 감정은 일치합니다. 그렇기 때문에 서로 다른 감정은 얼마든지 자기이해 안에서 서로의 다름을 이해할 수 있습니다. 이때 감정의 감각적 현상만을 바라보며 생각하면 감정은 절대적으로 자신 및 다른 감정을 이해할 수 없습니다. 자기이해 안에서 자신의 무한한 감정 및 자신과 무한히 다른 감정에 나아가 그에 고유한 본성의 필연성을 확인할 때, 감정의 순수지선을 확인할 수 있습니다. 이때 비로소 감정으로 존재하는 우리는 무한한 감정을 편안한 마음으로 믿고 배울 수 있습니다.

2. 初六_{초 육}: 감정의 필연성

감정에 대한 타당한 이해는 감정에 고유한 본성의 필연성을 인식하는 것입니다. 감정이 필연성이 아닌 우연성으로 존재하는 것이라면 감정에 대한 타당한 인식은 성립할 수 없습니다. 우연성이란 얼마든지 지금과 다른 방식으로 존재할 수 있다는 가능성을 뜻합니다. 이 경우 타당한 이해는 불가능합니다. 어떤 것에 대해서 알았다고 말할 때, 이해의 대상이 이해가 성립된 시점과 다른 방식으로 존재할 수 있다고 하면 그 즉시 이전의 이해는 존립의 기초를 상실합니다. 이런 방식으로 계속 우연성을 인정하게 되면 타당한 이해는 그에 비례하여 불가능합니다.

그러나 감정이 영원의 필연성으로 존재하도록 결정되었다

면, 이 사실에 근거하여 우리는 감정을 믿고 배울 수 있습니다. 왜냐하면 감정에 대한 우리의 이해는 영원불변이기 때문입니다. 지금 존재하는 감정에 나아가 그에 고유한 본성을 이해했을 때, 그 감정은 지금의 존재 이외 다른 방식으로 존재할 수 없습니다. 따라서 우리가 지금 존재하는 감정에 나아가 그에 고유한 본성을 이해하면, 그것은 항상 타당합니다.

곤괘(坤卦)는 초육(初六)에서 이 사실을 다음과 같은 은유로 설명합니다.

初六: 履霜, 堅冰至.
초육　리상　견빙지

리(履)는 밟는다는 뜻입니다. 상(霜)은 서리를 뜻합니다. 우리가 서리를 밟을 때 이로부터 예상되는 필연성은 무엇일까요? 서리는 자연의 변화가 가을이 지나 겨울로 들어섰다는 것을 뜻합니다. 그렇다면 서리에 고유한 존재의 필연성은 무엇일까요?

이 물음에 대한 답을 구하기 위해서 다음과 같은 예를 들수 있습니다. 우리가 x축과 y축이 교차하는 공간에 무한히 변화하는 선을 그릴 때, 그 선의 한 점은 그 선의 순간 변화를 뜻합니다. 이때 우리는 그 점을 지나는 접선의 기울기를 구할수 있습니다. 이것이 곧 수학의 미분(微分)입니다. 이때 접선의 기울기는 증가, 감소 또는 불변 가운데 하나입니다. 여기에는 세 가지 경우가 아니라 반드시 영원의 필연성으로 세 가지 경우 가운데 하나입니다. 그리고 어느 한 경우가 확인되면 절대적으로 변하지 않습니다. 즉, 접선의 기울기가 증가로 확인되면, 영원의 필연성으로 그 점의 순간 변화는 증가를 향합니다.

우리는 같은 방식으로 '서리'를 이해할 수 있습니다. 서리를 밟았다는 것은 자연의 무한 변화 가운데 어느 한 점의 순간 변화에 고유한 본성(접선의 기울기)을 이해했다는 것을 뜻합니다. 우리는 서리에 나아가 그에 고유한 순간 변화의 본성을 이해할 수 있는데, 그것은 곧 한겨울의 추위가 필연적으로 온다는 것입니다. 이는 마치 바로 앞에서 언급한 미분과 맥락을 함께 합니다. 따라서 우리가 주역을 감정분석학으로 이해하는 한에서 곤괘의 초육을 다음과 같이 번역하고 이해할 수 있습니다.

初六: 履霜, 堅冰至.
초 육   리 상   견 빙 지

'나'[龍]는 감정을 느끼거나 경험할 때, 감정에 고유한 본성을 영원의 필연성으로 이해해야 한다. 마치 우리가 아침 서리를 밟을 때[履霜], 세상의 모든 것을 단단히 얼게 하는 한겨울 추위[堅冰]가 영원의 필연성으로 찾아 올 것이라는[至] 사실을 명백하게 이해하는 것과 같다.

3. 六二: 순수지선의 감정

우리가 감정을 우연이 아닌 필연으로 이해하게 되면, 감정 그 자체의 진실은 영원무한입니다. 이 진실은 감정에 대한 우리의 인식에 전혀 영향을 받지 않습니다. 감정은 존재 그 자체만으로 영원으로부터 영원에 이르는 영원의 필연성으로 '영원무한'을 본성으로 갖습니다. 그렇기 때문에 이 진실은 사실상 감정으로 존재하는 우리 자신의 진실이기도 합니다. 다시 강조하지만, 이 진실은 감정에 대한 우리 자신의 이해에 영향을 받지 않습니다. 감정으로 존재하는 우리 자신의 진실은 영원의 필연성으로 영원무한입니다. 이 사실을 곤괘 육이(六二)는 다음과 같이 확인합니다.

六二: 直方大. 不習无不利.
육 이   직 방 대   불 습 무 불 리

직(直)은 '곧음'을 뜻합니다. 동시에 휘어지지 않는다는 의미를 내포합니다. 감정은 존재하는 그대로 영원의 필연성을 본성으로 갖는다는 것을 뜻합니다. 이러한 맥락에서 '直'은 존재에 관하여 우연성이나 가능성을 용납하지 않습니다. 방(方)은 '네모'를 뜻하는데, 성리학은 구체적인 공간과 시간의 형식으로 드러난 사물의 양태로 이해합니다. 이때 우리가 사물의 양태를 감각적 현상으로 보면, 우리는 그것을 두고 얼마든지 지금 존재하는 방식과 다른 방식으로 존재할 수 있다는 우연이나 가능성을 생각하기 쉽습니다. 그러나 그것(方)은 자기 존재에 관하여 영원의 필연성(直)을 갖습니다. 이것이 '물자체'(物自體, thing-in-itself)의 개념입니다.

우리가 사물의 감각적인 양태에 나아가 그에 고유한 본성을 이해하면, 그 양태는 영원무한의 필연성을 본성으로 갖습니다. 우리는 그것의 순수지선을 확인합니다. 이 사실이 '대'(大)입니다. 이상의 논의를 감정분석학으로 다시 정리하면, 사물의 감각적인 양태는 감정입니다. 따라서 곤괘의 두 번째 효사인 육이(六二)를 다음과 같이 번역하고 이해할 수 있습니다.

六二: 直方大.
육 이 　직 방 대

감정은 오직 '자기 본성의 필연성'[直]을 따라서 무한한 방식으로 무한하게 존재하므로[方] 절대적으로 '순수지선'[大]이다.

다음으로 중요한 논점은 '不習无不利.'입니다. 그러나 이 주제는 이미 앞에서 다루었습니다. 감정에 대한 우리 자신의 인식에 상관없이 감정은 존재 그 자체만으로 영원의 필연성을 본성으로 가지며, 그러한 한에서 순수지선입니다. 그래서 이 부분을 다음과 같이 번역하고 이해할 수 있습니다.

六二: 不習无不利.
육 이 　불 습 무 불 리

그렇기 때문에 우리가 감정을 배우지 않아도[不習] 감정으로 살아가는 세상은 본래부터 '다 좋은 세상'이다[无不利].

정이도 『역전』(易傳)에서 이 사실을 확인합니다.

'익히지 않는다(不習)'는 것은 자연함을 말한 것이니, 坤道에 있어서는 하지 않아도 저절로 되는 것이요, 聖人에 있어서는 종용히 道에 맞는 것이다.

_『주역전의 上』
성백효 譯註/ 전통문화연구회(2016), 196~197.

여기에서 핵심은 '자연'(自然)입니다. 자기 스스로 자기 본성의 필연성을 따른다는 사실을 뜻합니다. 우리가 느끼거나 경험하는 감정은 존재 그 자체로 자기원인을 본성으로 갖습니다. 원형리정(元亨利貞) 안에 존재합니다. 그렇기 때문에 엄격히 말해서 감정을 느끼며 감정으로 존재하는 우리는 영원의 필연성 안에서 '원형리정'의 성스러움으로 존재합니다. 이 사실이 성인(聖人)입니다. 聖人은 어떤 수준이나 경지가 아니라 감정을 느끼며 감정으로 존재하는 자연 전체의 진실이며 지금 우리 자신의 진실입니다.

우리의 논의가 이 지점에 이르면 감정과학이나 감정분석학을 연마해야 하는 이유가 도대체 무엇이냐고 질문할 수 있습니다. 이 문제를 다루기 이전에 두 가지 경우를 생각해 보면 좋겠습니다.

① 이미 순수지선으로 존재하는 것에 나아가 그것의 순수지선을 이해한다.

② 아직 순수지선이 아니므로 그것의 불완전을 확인하고, 불완전한 것을 완전한 것으로 만들자.

감정과학에 기초한 감정분석학은 '①'을 감정의 진실로 확인합니다. 왜냐하면 감정 그 자체의 진실은 우리의 인식에 영향 받음이 없이 그 자체로 '원형리정'의 순수지선이기 때문입니다. 이 진리의 필연성이 명백하므로 감정분석학은 감정을 느끼며 감정으로 존재하는 우리 자신으로 하여금 감정에 나아가 그 자체의 진실을 확인함으로써 감정의 진실대로 살도록 인도합니다. 반면 '②'는 두 가지 이유로 타당하지 못한 것입니다. 첫째, 감정 자체의 진실에 어둡습니다. 둘째, 감정이 애초부터 불완전한 것이라면 불완전한 것을 완전한 것으로 만들겠다는 것은 억지입니다.

이미 완전한 것에 나아가 그것의 완전성을 이해하는 것과, 반대로 이미 불완전한 것에 나아가 그것을 완전한 것으로 만들겠다는 것, 이 둘 중에 어느 것이 우리의 기분을 좋게 할까요? 어느 경우의 학문이 우리를 자유롭게 평화롭게 할까요? 감정에 호소하는 것이 아니라 우리 스스로 생각해서 판단하는 것이 중요하다는 뜻입니다. 이 지점에서 우리는 건괘(乾卦)의 구삼(九三)을 다시 볼 필요가 있습니다.

乾卦-九三: 君子終日乾乾. 夕惕若厲, 无咎.
전괘 구삼 군자종일건건 석척약려 무구

　자기 존재의 성스러움[大人]을 이해하는 사람[君子]은 매순간 자기 몸이 새롭게 느끼는 감정을 乾 안에서 이해한다[乾乾]. 즉, 자기 스스로 자기 감정의 무한성을 영원의 필연성으로 이해한다. 이 이해를 향한 '감정분석학'[周易]은 매우 어려운 학문으로 다가오지만[夕惕若厲], 오직 이 학문만이 행복의 방법이다[无咎].

　자기원인으로 존재하는 감정이기 때문에 감정은 자기원인으로 자신을 이해합니다. 그러나 감정은 자기 존재에 관하여 영원의 필연성을 본성으로 가지며 그러한 한에서 순수지선 그 자체입니다. 이 사실은 감정의 자기이해에 영향을 받지 않습니다. 이 분명한 사실에 근거하여 감정을 느끼며 감정으로 존재하는 '나'는 감정을 향한 믿음으로 감정의 진실을 이해합니다. 이렇게 감정에 대한 타당한 이해를 형성하는 '나'의 아름다움이 군자(君子)입니다. 이러한 맥락에서 '나'는 이미 아름다운 사람이며, 이미 아름다운 '나'는 자기 감정을 향한 자기이해 안에서 보다 더 큰 아름다움으로 존재합니다.

　그러므로 곤괘의 육이는 감정을 느끼며 감정으로 존재하는 우리에게 학문의 기쁨이 무엇인지 확인시켜줍니다. 본래부터 영원의 필연성으로 순수지선의 감정이기 때문에 우리는 사실상 감정에 대해서 배울 필요가 없습니다. 그러나 언제 우리가 감정에 대해서 배워야 할까요? 모든 감정이 단 하나의 예외 없이 영원의 필연성으로 순수지선으로 존재하고 활동하도록 되어있다는 사실이 분명하다면, 우리가 일상에서 어느 감정에 대해서 불완전 내지는 불선을 생각할 때, 우리는 반드시 그 감정에 나아가 그것의 순수지선을 배워서 확인해야 합니다. 배우지 않아도 좋다는 것은 믿고 배우라는 뜻입니다. 따라서 우리는 곤괘의 육이를 다음과 같이 최종적으로 이해할 수 있습니다.

六二: 直方大. 不習无不利.
육이 직방대 불습무불리

감정은 오직 '자기 본성의 필연성'[直]을 따라서 무한한 방식으로 무한하게 존재하므로[方] 절대적으로 '순수지선'[大]이다. 그렇기 때문에 우리가 감정을 배우지 않아도[不習] 감정으로 살아가는 세상은 본래부터 '다 좋은 세상'이다[无不利].

4. 六三: 감정분석학의 즐거움
  육삼

감정의 진실은 그 자체로 순수지선의 아름다움입니다. 이 사실은 우리의 배움이나 인식 여부에 전혀 영향을 받지 않습니다. 그러나 감정으로 존재하는 우리 자신이 감정의 순수지선을 이해함으로써 감정의 아름다움을 최고의 완전성으로 확인한다면, 그것은 진실로 즐거운 것이며 기쁜 것입니다. 이미 최고로 아름다운 자신의 감정이기 때문에 자기 스스로 자기의 감정에 나아가 그 사실을 이해하는 것은 감정의 진실을 모르고 사는 것 보다는 더 큰 완전성이며 더 큰 행복입니다. 이 이유로 곤괘(坤卦)는 육이(六二)에 이어서 육삼(六三)에서 다음과 같이 말합니다.

六三: 含章可貞.
육삼 함장가정

여기에서 가장 중요한 것은 정(貞)입니다. '정'(貞)은 감정의 자기이해를 뜻합니다. 이미 논의한 바와 같이 감정은 자기원인으로 존재하며 활동하기 때문에 자신을 이해함에 있어서도 반드시 자기원인이어야 합니다. 감정은 외부 원인에 의해서 존재하도록 결정된 것이 아니며, 그렇기 때문에 감정이 자신의 존재 및 본성을 이해함에 있어서 절대적으로 자기 아닌 다른 것에 의존해서는 안 됩니다. 그렇지 않으면 그 즉시 감정에 대한 인식의 오류에 빠지게 됩니다. 육이(六二)에서 논한 바와 같이 배우지 않아도 되는 감정이지만 감정의 진실을 모르고 살아가는 것 보다는 배워서 이해하며 살아가는 것이 보다 더 큰 행복입니다.

이 인식은 당연히 감정의 자기이해입니다. 이 이해를 정

(貞)이라 합니다. 그런데 육삼(六三)은 정(貞) 앞에 함장(含章)을 둡니다. 이에 대한 감정분석학의 이해를 정리하기 이전에 정이와 주자는 이 주제를 어떻게 이해하고 있는지 살펴보겠습니다.

정이의 『역전』(易傳)
아름다움을 머금고 감추어서 … '可貞'은 貞固하게 지킬 수 있고

주자의 『본의』(本義)
안에 아름다움을 머금어서 貞固히 지킬 수 있다.
_『주역전의 上』
성백효 譯註/ 전통문화연구회(2016), 198~199.

정이와 주자는 일관되게 '아름다움'을 머금고 있다고 합니다. 이 말은 아름다움이 본성으로 존재하고 있다는 사실을 확인합니다. 아름답지 않은 것이 존재한다는 가정 하에 그것이 아름다운 존재로 거듭날 수 있도록 자기 밖에서 아름다움을 구해야 한다면, 아름다움을 머금고 있다고 말할 수 없습니다. 자기 안에 본래부터 아름다움을 가지고 있고, 그렇기 때문에 본래부터 아름다움으로 존재하고 있다는 사실이 분명할 때, 이렇게 말할 수 있습니다. 이 사실이 '자기이해'(貞)를 통해서 분명할 때, 이 사실에 대한 의심을 형성하지 않고 자기이해를 견고하게(固) 지킬 수 있습니다. 이것이 '정고'(貞固)의 뜻입니다.

이러한 논의를 감정에 집중함으로써 감정의 진실을 이해하는 학문이 '감정분석학'입니다. 그리고 우리는 여기에서 한걸음 더 나아가 감정을 이해합니다. 장(章)은 '빛나다'는 뜻을 품고 있습니다. 우리는 빛의 본성을 다음과 같이 이해할 수 있습니다. 빛은 자신의 빛으로 자신의 존재 및 활동을 증명합니다. 빛은 자기 이외 다른 것에 의존함으로써 자신의 존재를 증명하지 않습니다. 이 사실은 자기이해와 본질적으로 동일합니다. 자기 스스로 자기에 대한 이해를 형성할 때, 자기이해의 진리는 자기가 증명합니다. 자기가 자기 스스로 이해를 명석판명하게 형성하면, 그것의 진리는 자기가 증명합니다. 마치 빛이 자기의 존재로 자기의 존재를 증명하는 것과 같습니다. 이러한 맥락에서 감정의 자기이해(貞)은 빛의 진리를 자기 안에 품고 있습니다. 이 사실이 함장(含章)입니다.

이 사실로부터 '가정'(可貞)은 지극히 당연한 것입니다. 자기 스스로 자기이해를 명백하게 형성하고 그에 대한 증명을 자기가 보증하는 한에서 자기이해는 어떠한 경우에도 흔들리지 않습니다. 이러한 감정의 자기이해를 우리는 '절대 자유'로 긍정할 수 있습니다. 이것을 주역 곤괘(坤卦) 육삼(六三)은 왕의 일로 비유합니다.

六三: 含章可貞. 或從王事, 无成有終.
육 삼 함 장 가 정 혹 종 왕 사 무 성 유 종 자기 감정에 대해서 자기이해를 형성함으로써 자기이해를 굳건히 지키며 그와 동시에 자기 감정으로 활동하는 것은 절대 자유입니다. 이 자유를 왕사(王事)에 비유할 수 있습니다. 이와 관련하여 왕사(王事)에 대한 상전(象傳)의 설명이 매우 중요합니다.

　　혹 王의 일에 종사한다는 것은 지혜가 밝고 큰 것이다.
_『주역전의 上』
성백효 譯註/ 전통문화연구회(2016), 199.

　　함장가정(含章可貞)은 감정의 자기이해이며 이는 절대적인 완전성과 아름다움입니다. 왜냐하면 자기이해의 구조는 빛이 자신의 빛으로 자신의 존재를 증명하는 절대적인 능동이기 때문입니다. 그렇기 때문에 이 이해(含章可貞)는 가장 크고 밝은 것입니다. 주역 곤괘의 육삼(六三)은 이 이해를 왕의 일에 비유합니다. 우리가 이 점을 분명히 하면, 그에 이어 나오는 무성유종(无成有終)이 무엇인지 쉽게 이해할 수 있습니다. 감정의 자기이해는 그 자체로 최고의 완전성입니다. 감정이 자기 존재에 고유한 본성의 필연성을 영원성 그 자체로 이해하면, 감정은 자기 존재를 최고의 완전성 안에서 최고의 아름다움으로 이해합니다.

　　감정이 이와 같은 방식으로 자기를 이해하고 자신이 경험하는 자연의 모든 감정을 이해하면, 감정의 진실은 목적론으로 이해될 수 없습니다. 감정을 수준이나 경지로 이해하는 것은 감정에 대한 타당한 인식이 아닙니다. 감정을 감각적 현상으로 바라보며 해석하면 수준이나 경지 등과 같은 것으로 감정을 판단합니다. 동시에 감정의 순수지선은 미래의 이상이나 목적으로 제시됩니다. 현실적으로 존재하는 감정들에는 등급이 매겨지는데, 그 기준은 감정의 겉모습이 얼마나 순수지선에 가까운지에 따라서 결정됩니다.

이 경우 감정에 대한 등급을 과연 누가 판단할 수 있는지 묻지 않을 수 없습니다. 뜻밖에 감정을 느끼거나 경험하는 우리 자신이 아닙니다. 감정을 둘러싼 수많은 감정 또는 수많은 사람들의 찬반 투표에 의해서 결정됩니다. 이로부터 감정 그 자체에 대한 인식은 전혀 중요하지 않습니다. 얼마나 많은 사람들로부터 선호 투표를 받을 수 있는지 고민해야 합니다. 동시에 얼마나 많은 감정들이 나의 감정을 좋아할지 고민해야 합니다. 그 결과 감정에는 거대한 목표가 제시됩니다. 감정은 자신을 향한 수많은 감정과 사람들로부터 자신이 좋은 것이라는 인정을 받아야 합니다. 더 이상 감정의 자기이해는 중요하지 않습니다.

그러나 감정으로 존재하는 우리 자신이 자기의 감정 및 자신이 경험하는 감정에 나아가 그에 고유한 본성을 영원의 필연성으로 인식하면, 자연을 구성하는 모든 감정은 존재 그 자체로 순수지선이라는 사실을 확인하게 됩니다. 감정에 대한 수준이나 경지 같은 것은 절대로 용납되지 않는다는 것을 이해할 수 있습니다. 목적론자들은 감정에 수준이나 경지 같은 꼬리표를 달아서 그 감정을 절대적인 이상으로 변화시켜야 한다는 주장합니다. 그러나 함장가정(含章可貞)을 주장하는 감정분석학은 감정 그 자체에 고유한 본성을 인식해야 한다고 주장합니다.

이 지점에서 우리 스스로 판단해야 합니다. 어느 주장이 우리를 행복으로 인도하는 것일까요? 이 질문에 대한 답을 구하는 방법은 다음과 같이 생각해 보는 것입니다. 어떤 이가 우리 자신의 감정을 두고, '너의 감정은 수준이 떨어지는 감정이야. 좋지 않아.'라고 말하면 기분이 어떻습니까? 반대로 '너의 감정이 어떤 모습을 하는지 상관없이 감정은 존재 그 자체로 영원의 필연성으로 결정된 것이므로 우리가 함께 배워서 이해하면 감정의 순수지선을 확인할 수 있어.'라고 말하면 기분이 어떻습니까?

감정의 순수지선은 우리의 인식 여부에 영향을 받지 않습니다. 본래부터 감정은 영원의 필연성으로 존재하도록 결정되어 있습니다. 이 필연성이 감정 그 자체의 본성입니다. 이 본성을 '물자체'(物自體)라고 부릅니다. 이 사실로부터 감정에게는 어떤 수준이나 경지에 도달해야 하는 목적이 주어지지 않습니다. 이 사실이 '무성'(无成)입니다. 지금 자신의 존재를 떠나서 어떤 경지에 도달함으로써 자신을 이루어야[成] 할 목적이 없습니다[无]. 이와 정반대로 감정은 자기 안에 자기 존재의 순수지선을 영원의 필연성으로 이미 이루어진[終] 진실로 가지고 있습니다[有].

감정의 자기이해를 뜻하는 함장가정(含章可貞)은 절대적인 완전성이며 자유입니다. 이것을 왕의 일에 비유합니다. 혹종왕사(或從王事)라고 했습니다. 절대적인 자유와 완전을 뜻하는 '왕'(王)을 수준이나 경지로 판단할 수 있을까요? 이 경우 그러한 판단을 하는 것이 왕(王) 자신입니다. 그러므로 우리는 감정의 자기이해에 고유한 진실이 무엇인지 밝히는 육삼(六三)을 다음과 같이 번역하고 이해할 수 있습니다.

六三: 含章可貞. 或從王事, 无成有終.
육삼 함장가정 혹종왕사 무성유종

빛이 자신의 빛으로 존재를 증명하는 것과 같이 정신 스스로 감정에 대한 분명한 이해를 형성하는 것[含章]이 '자기이해'[貞]이다. 이 이해는 정신 스스로 자기 본성만을 따르는 절대 자유이므로 '왕의 일'[王事]에 비유할 수 있다. 이 일은 미래의 성취되어야 할 목적이 아니라[无成] 이미 존재하는 감정의 진실[乾]을 이해하는 것이다[有終].

5. 六四: 감정 인식의 오류
육사

현대 학문은 근대 철학자 칸트에 의해서 정립된 '순수이

성'을 자기 존립의 기초로 갖습니다. 칸트의 순수이성은 초월적 선험인 공간과 시간의 한계 안에서 감각적으로 지각된 현상을 종합하는 능력입니다. 이 능력으로 자기 존재 가치를 실현해야 한다는 것이 순수이성의 주요 임무입니다. 칸트가 순수이성을 통해서 '술어의 종합적 통일'을 강조하는 이유가 여기에 있습니다. 칸트는 아무리 좋은 사람이라고 하여도 그가 이룬 술어의 종합적 통일이 별 볼 것이 없다면 과연 그이를 두고 좋은 사람이라고 판단할 수 있겠냐고 우리에게 묻습니다.

이 물음으로부터 정신을 현상으로 이해하려는 헤겔의 '정신현상학'이 등장하지 않을 수 없습니다. 배움의 핵심이 '술어의 종합적 통일'로 제시되면, 그 순간 감정에 대한 참다운 인식은 전혀 중요하지 않습니다. 오히려 감정은 방해 요인으로 간주됩니다. 어떤 목적을 이루기 위해서 우리의 정신이 몰입할 때, 감정은 그것이 제대로 되고 있는지 매순간 판단합니다. 그런데 목적을 향해 정신이 몰입을 하면 할수록 그에 비례하여 뜻밖에 정신은 감정을 외면하거나 무시합니다. 가장 대표적인 예를 들자면 '수면욕'을 죄악시 하는 것입니다. 또는 '사랑이 밥을 먹여 줘? 돈을 줘?' 등과 같은 비난이 있습니다.

이로부터 어떤 목적을 위해서 감정을 조절하거나 억제하는 것이 윤리적 미덕으로 제시되고 있습니다. 그리고 이것을 입증하려는 수많은 시도가 진행되고 있습니다. 그런 방식으로 살았더니 원하는 목표를 이루었고, 그 결과 행복을 누리고 있다고 주장합니다. 그 결과 수많은 사람들이 이 주장에 동조하며 자신도 그 방법으로 반드시 성공하겠다고 결심합니다. 결국 감정과학이 감정분석학을 통해서 추구하는 감정에 대한 참다운 인식은 성공을 방해하는 나쁜 것으로 간주됩니다.

그러나 우리 스스로 생각해 보면, 감정분석학을 비난하는 주장들은 공허한 것입니다. 왜냐하면 그들이 생각하는 성공에 다가가면 다가갈수록 그들은 그에 비례하여 결핍증에 빠지기 때문입니다. 아주 간단한 예로 어떤 사람이 1억만 가지면 정말 행복할 것 같다고 생각하며 열심히 노력했고, 그 결과 1억을 모았다고 상상해 봅시다. 그 즉시 그이는 10억을 가지면 정말 행복할 것 같다고 생각하게 됩니다. 이전에는 1억에 대한 결핍증에 있었다면, 이제는 9억에 대한 결핍증에 빠집니다. 물론 대부분의 사람들은 이러한 결핍증이 보다 더 큰 재산을 형성하는 데에 크게 기여를 한다고 주장할 수 있습니다. 그 덕(?)분에 10억을 모았다고 상상해 봅시다. 이제는 50억 또는 100억을 목표에 둡니다.

이 경우 인생의 행복은 도대체 어디에 있는 것일까요? 그이가 어느 순간 죽음을 앞에 두고 있다면, 그이는 과연 인생에서 행복의 충만을 느껴본 적이 있기는 할까요? 감정분석학은 가난하게 살아야 한다고 주장하거나 강요하지 않습니다. 하루살이 같은 인생을 살자고 가르치지 않습니다. 매순간 감정으로 존재하는 자기 자신이 얼마나 아름다운지 이해하자고 합니다. 우리는 영원의 필연성 안에서 최고의 완전성과 아름다움 그 자체인 감정으로 존재하고 있습니다. 이 사실을 우리 자신이 이해하면, 그 즉시 우리는 그 어떤 것에 대해서도 결핍증에 빠지지 않습니다. 감정을 느끼며 감정으로 존재하는 우리 자신이 이미 최고의 완전성 그 자체로 존재합니다.

이 사실을 인식할 때, 자기 존재의 충만감 속에서 자신이 원하는 즐거운 일을 할 수 있습니다. 이렇게 일을 하는 사람은 최고의 성과를 내게 되어 있습니다. 그것이 '잉여'입니다. 이 잉여를 다른 잉여와 함께 나누면 자연스럽게 우리의 삶은 이미 최고의 완전으로부터 보다 더 큰 최고의 완전으로 이행합니다. 절대적으로 가난하게 살지 않으며 오히려 최고의 발전과 번영을 최고의 행복으로 누릴 수 있습니다. 이렇게 성스럽고 거룩한 행복이 이미 우리에게 주어져 있는데, 도대체 무슨 이유로 우리는 거짓말쟁이들의 거짓에 속아 결핍증에 시달리며 살아야 하는 것일까요?

이 물음에 대한 답을 곤괘 육사(六四)에서 확인할 수 있습니다.

六四: 括囊, 无咎无譽.
육 사   괄 낭   무 구 무 예

'괄낭'(括囊)은 말 그대로 주머니를 묶는 것입니다. 정확히 말하자면 주머니의 주둥이를 묶는 것입니다. 이것을 감정에 대입하면 감정의 소리를 막는 것으로 이해할 수 있습니다. 이 경우 감정에 대한 인식은 불가합니다. 앞에서 논한 바와 같이 감정을 이러한 방식으로 접근하는 것은 목적론자들의 주장입니다. 그들은 이 방법만이 성공의 방법이라고 우리에게 강요합니다. 그리고 자신들의 주장을 주입하기 위해서 수많은 사례들을 제시합니다. 물론 감정분석학은 이러한 주장을 부정하지 않습니다. 왜냐하면 수많은 사례들이 그들의 주장을 옹호하기 때문입니다. 이것을 무구(无咎)라고 합니다.

그러나 그에 이어서 나오는 말이 매우 중요합니다. 무예(无譽)입니다. 그 어떤 명예도 없다는 것입니다. 그래서 여기의 무구(无咎)를 무예(无譽)와 함께 놓고 보면, 무구(无咎)는 긍정적 의미로 이해될 수 없습니다. 감정의 자기이해를 통해서 마땅히 누리는 명예는 왕(王)입니다. 바로 앞 육삼(六三)에서 다루었던 '혹종왕사'(或從王事)가 그것입니다. 감정에 대한 올바른 인식을 외면하고 감정을 억제하게 되면 감정 인식 안에서 누리는 자신의 절대 자유와 행복을 알 수 없게 됩니다.

그러므로 우리는 육사(六四)를 다음과 같이 번역하고 이해할 수 있습니다.

六四: 括囊, 无咎无譽.
육사 괄낭 무구무예

감정분석학[周易]은 감정의 무한한 현상에 나아가 감정의 본성[乾]을 이해하는 학문이다. 이 이해를 통해서 모든 감정의 순수지선을 이해한다. 따라서 자기 감정을 억제와 조절의 대상으로 취급하는 것은[括囊] 어느 정도 효과를 낼 수 있으나[无咎], 자기 감정의 순수지선으로 확인하는 자기 존재의 성스러움은 알 수 없다[无譽].

6. 六五: 감정분석학의 행복

자기 감정에 고유한 본성의 필연성을 인식함으로써 자신의 순수지선을 이해하는 사람은 자연 안에 존재하는 모든 감정을 자기이해와 동일한 방식으로 이해합니다. 이 이해를 형성하는 것이 '왕의 일'을 뜻하는 '왕사'(王事)입니다. 그렇기 때문에 엄밀히 말해서 왕은 자연 위에 군림하는 존재가 아니라 자연의 모든 것을 '왕'으로 인식하는 사람입니다. 모든 감정을 그 자체에 고유한 본성에 입각하여 영원무한의 순수지선으로 이해하는 것입니다. 이 이해가 황상(黃裳)입니다.

황(黃)은 중(中)을 뜻하는데, 이때의 중(中)은 공간과 시간의 가운데 아니라 존재하는 모든 감정이 자기 안에 본래부터 품고 있는 본성의 필연성입니다. 이것으로 자연의 모든 감정을 품에 아는 것이 상(裳)입니다. 이 진실을 스피노자는 다음과 같이 정리합니다.

제1부 정리 15: 감정의 영원한 필연성
모든 것은 신 안에 있다. 신 없이는 어떤 것도 존재할 수 없으며 인식될 수도 없다.

_『감정으로 존재하는 신』
성동권, 부크크, 2023.

스피노자가 정리한 "모든 것은 신 안에 있다."는 명제가 '황상(黃裳)'입니다. 모든 것이 신 안에 존재한다는 것은 감정에도 직결됩니다. 왜냐하면 지금 우리 자신이 감정으로 존재하며 활동하기 때문입니다. 감정이 신 안에 있다는 것은 감정은 영원의 필연성을 본성으로 가지며 그러한 한에서 모든 감정은 자기 존재에 관한 한 신에 고유한 본성으로서 순수지선을 본질로 갖는다는 것을 뜻합니다. 이 진실을 곤괘의 육오(六五)는 '원길'(元吉)로 표현합니다. 그러므로 우리는 육오(六五)를 다음과 같이 번역하고 이해할 수 있습니다.

六五: 黃裳, 元吉.
육오   황상   원길

'나' 자신의 감정을 비롯해서 자연의 모든 감정을 그 각각에 내재한 본성의 필연성[乾]으로 이해할 때[黃裳], 나는 자기원인[元]으로 존재하는 '乾'과 본래 하나라는 사실을 확인하므로 (왜냐하면 영원무한의 필연성은 단 하나의 실체이며 그러한 한에서 그에 대한 이해는 오직 실체 자신에 의해서 형성되기 때문) 자연 안의 무한한 감정을 오직 순수지선만으로 확인하는 최고의 행복[吉]을 누린다.

참고로 육오(六五)에 대한 『상전』(象傳)의 설명을 살펴보겠습니다.

君子가 黃이 中心에 있어 이치에 통하여

_『주역전의 上』
성백효 譯註/ 전통문화연구회(2016), 210.

여기에서 중요한 것은 '통리'(通理)입니다. 이치가 통한다는 것을 뜻합니다. 자연 안에 존재하는 모든 감정은 무한한 방식으로 무한하게 다릅니다. 그러나 그 어떤 감정도 필연성을 부정하는 우연성으로 존재하지 않습니다. 영원의 필연성으로 무한한 감정이 무한하게 존재합니다. 이 사실을 확인하는 것이 주역 곤괘의 '황'(黃)입니다. 이 사실을 확인하면 서로 다른 감정은 서로 교감하고 배우며 소통할 수 있습니다. 이러한 측면에서 리통기국(理通氣局)이 아니라 리국기통(理局氣通)입니다. 진리는 무한한 양태로 자신을 드러내며(理局), 이 사실로부터 무한 양태는 서로를 배워서 이해할 수 있습니다(氣局).

7. 上六: 믿음 안에서 배우는 감정
상 육

감정의 진실을 이해하는 '나'는 자신과 다른 방식으로 존재하는 모든 감정을 절대 함부로 하지 않습니다. 자기의 감정이 영원의 필연성을 본성으로 받아 순수지선으로 존재하는 것과 같이 자연의 모든 감정도 그와 동일한 방식으로 존재한다는 것을 믿으며 배웁니다. 그 결과 자연의 모든 감정을 순수지선으로 이해합니다. 이러한 맥락에서 가장 중요한 것은 자기감정에 대한 자기이해입니다. 이 이해가 분명할 때, 자기와 무한히 다른 감정에 대해서 믿고 배울 수 있습니다. 감정의 자기 이해가 무엇인지 주역 건괘(乾卦)의 구오(九五)는 다음과 같이 이야기 했습니다.

乾卦-九五: 飛龍在天, 利見大人.
건괘 구오 비룡재천 리견대인

　　마침내 '감정분석학'[周易] 안에서 감정을 느끼며 감정으로 살아가는 '자유'를 누리는 '나'[飛龍]는 '다 좋은 세상'을 누리는 축복을 받는다[在天]. 왜냐하면 자기 스스로 자신의 감정을 감각적 현상으로 해석하지 않고 그 자체에 고유한 본성으로 이해하는 한에서 자기는 자연의 모든 감정을 그 자체에 고유한 본성의 영원한 필연성으로 이해하기 때문이다. 이때 비로소 나는 천지의 장엄함을 이해하는 성스러운 사람[大人]으로 '나' 자신을 이해한다[利見].

　　용(龍)은 감정이며, 엄격히 말해서 감정을 느끼며 감정으로 존재하는 '나'입니다. 자기이해가 분명한 용은 자연 안의 모든 용들을 함부로 하지 않습니다. 이 사실을 상육(上六)은 '용전우야(龍戰于野)라고 정의합니다. 일반적으로 '용이 들에서 싸운다.'라고 번역되지만, 감정분석학은 동의하지 않습니다. 전전긍긍(戰戰兢兢)에 근거하여 용전(龍戰)을 '용이 전전긍긍한다.'라고 이해합니다. 이 이해는 건괘(乾卦)의 용구(用九)에 근거하여 보면 명백합니다.

乾卦-用九: 見羣龍无首, 吉.
건괘 용구 견군룡무수 길

지금 '나'의 존재가 영원의 필연성 자체인 乾 안에서 순수지선으로 결정된 것과 같이 자연 전체도 그러하다. 내가 느끼는 '나' 자신의 감정을 비롯해서 내가 경험하는 자연의 모든 감정이 乾의 순수지선을 증명한다[見羣龍]. 이러한 방식으로 세상의 모든 감정을 이해하고 존중할 때[无首], '다 좋은 세상'은 요지부동이다[吉].

"세상의 모든 감정을 이해하고 존중할 때[无首], '다 좋은 세상'은 요지부동이다[吉]"라고 했습니다. 세상은 '야'(野)입니다. 감정으로 존재하는 '나'가 자연의 모든 감정을 영원의 필연성 안에서 순수지선으로 존중하는 것이 전전긍긍의 '용전'(龍戰)입니다. 이로부터 우리는 상육(上六)의 나머지를 쉽게 이해할 수 있습니다.

上六: 龍戰于野. 其血玄黃.
상 육   용 전 우 야   기 혈 현 황

기혈(其血)은 감정으로 존재하는 지금 '나'입니다. 기쁨을 느끼는 지금 나 자신이 기혈(其血)입니다. 슬픔을 느끼는 지금 나 자신이 '기혈'입니다. 더 나아가 구체적인 감정으로 존재하는 자연의 모든 감정이 '기혈'입니다. 그러나 그 모든 감정은 황상(黃裳)의 감정이며, 그러한 한에서 영원무한의 순수지선을 뜻하는 하늘의 비룡(飛龍)입니다. 현(玄)은 하늘을 뜻하며 황(黃)은 황상(黃裳)에 근거하여 하늘의 본성으로 존재하는 자연의 모든 감정입니다. 이 사실은 이미 육오(六五)에서 확인했습니다.

坤卦-六五: 黃裳, 元吉.
곤 괘 육 오   황 상   원 길

'나' 자신의 감정을 비롯해서 자연의 모든 감정을 그 각각에 내재한 본성의 필연성[乾]으로 이해할 때[黃裳], 나는 자기원인[元]으로 존재하는 '乾'과 본래 하나라는 사실을 확인하므로 (왜냐하면 영원무한의 필연성은 단 하나의 실체이며 그러한 한에서 그에 대한 이해는 오직 실체 자신에 의해서 형성되기 때문에) 자연 안의 무한한 감정을 오직 순수지선만으로 확인하는 최고의 행복[吉]을 누린다.

그러므로 우리는 상육(上六)을 다음과 같이 번역하고 이해할 수 있습니다.

上六: 龍戰于野. 其血玄黃.
상 육   용 전 우 야   기 혈 현 황

乾에 의해서 생겨난 모든 '나'[龍]는 전전긍긍[戰]하며 자연[野]의 모든 감정을 감정분석학[周易]으로 이해한다. 이로부터 '나'는 자연 전체와 '본래 하나'라는 사실이 밝혀진다. 따라서 '나'[龍]의 생명[血]은 '단 하나의 영원한 생명'[玄(天)] 안에서 땅 위의 '무한한 생명'[黃(地)]으로 존재한다.

참고로 『상전』(象傳)을 보면, 용전우야(龍戰于野)를 다음과 같이 설명합니다.

그 道가 궁극한 것이다.

_『주역전의 上』
성백효 譯註/ 전통문화연구회(2016), 210.

　　도(道)가 궁극한 것은 감정의 자기이해가 분명한 것입니다. 우리가 감정에 나아가 그에 고유한 본성의 필연성을 영원의 필연성으로 이해하는 한에서 우리는 감정을 순수지선으로 이해합니다. 이 이해는 절대 전쟁이나 싸움으로 감정을 인도하지 않습니다. 그렇기 때문에 용전우야(龍戰于野)의 전(戰)을 전쟁이나 싸움으로 이해해서는 안 됩니다. 자연(野) 안의 모든 감정(龍)이 자신과 서로 다른 감정(龍)에 대해서 전전긍긍하며 배우는 것이 '용전우야'입니다. 이 배움을 '기도궁야'(其道窮也)로 이해해야 합니다. 그렇지 않으면 기도궁(其道窮)이 어떻게 전쟁과 연결되는지 설명해야 하는데, 혹시 그와 관련된 설명이 있다면 그것은 터무니없는 것입니다.

8. 用六: 건곤(乾坤)으로 존재하는 감정
　　용　육

　　감정의 영원한 진실은 건괘(乾卦)의 원형리정(元亨利貞)입니다. 이 진실을 이해하는 것이 곤괘(坤卦)의 '빈마지정'(牝馬

之貞)입니다.

乾卦-卦辭: 元, 亨, 利, 貞.
　　　　　　원　형　리　정

자기원인으로 존재[元]하며 자기원인으로 활동[亨]하는 것이 최고의 행복[利]이다. 이 존재는 영원의 필연성으로 자기 안에서 자기 존재와 활동에 대한 개념을 자기 스스로 이해[貞]한다. 나는 이러한 방식으로 존재하는 순수지선을 '乾'으로 이해한다.

坤卦-卦辭: 元, 亨, 利, 牝馬之貞.
　　　　　　원　형　리　빈 마 지 정

자기원인으로 존재[元]하며 자기원인으로 활동[亨]하는 것이 최고의 행복[利]이다. 이 존재로부터 자연의 모든 감정이 생겨나며[牝馬], 동시에 이 존재는 자기가 산출하는 모든 감정에 대한 이해를 자기 안에 본래부터 가지고 있다[貞].

그러므로 다음과 곤괘(坤卦)의 용육(用六)을 다음과 같이 번역하고 이해하는 것은 필연적입니다.

用六: 利永貞.
용 육　리 영 정

감정을 느끼며 감정으로 살아가는 자연의 진실은 '다 좋은 세상'[利]이다. 왜냐하면 감정의 진실은 영원의 필연성으로 순수지선이기 때문이다. 이 진실은 영원무한이다[永]. 이 진리를 이해하는 방법은 감정분석학[周易]에 입각하여 자기 감정에 대한 '자기이해'[貞]를 형성하는 것이다.

3장. ䷂ 屯: 자기를 보호하고 지키는 감정

둔

1. 卦辭: 자기이해를 지키는 감정

괘 사

　　자연 안에 무한한 방식으로 무한하게 존재하는 감정은 '건
곤'(乾坤)의 교차 안에 있습니다. 영원의 필연성 안에 무한한
감정이 존재하며, 그 모든 감정은 영원의 필연성으로 자신을
이해합니다. 이것은 지금 '나' 자신의 감정에 고유한 진실입니
다. 그렇기 때문에 지금 '나' 자신이 어떤 감정을 느끼거나 경
험하고 있다면, 절대적으로 그 감정을 선악(善惡)이나 미추(美
醜)로 판단해서는 안 됩니다. 왜냐하면 어떤 모습의 감정으로
드러났다고 하여도 그것은 영원의 필연성으로 생겨나 존재하
고 활동하는 순수지선이기 때문입니다. 이 사실을 둔괘(屯卦)
는 괘사(卦辭)를 통해서 다음과 같이 확인합니다.

　　卦辭: 元, 亨, 利, 貞.
　　괘 사　원　형　리　정

이것은 건괘(乾卦)의 괘사와 동일합니다. 그래서 번역은 다음과 같습니다.

乾坤의 교차로 생겨난 '나'[龍]는 영원의 필연성[乾] 안에서 무한한 방식으로 무한하게 존재하는 감정[坤]을 이해한다. '나'는 자기원인으로 존재[元]하며 자기원인으로 활동[亨]하는 최고의 행복[利]이다. '나'는 이 사실을 나 스스로 이해[貞]한다.

그런데 둔괘의 괘사는 다음과 같은 말을 부연합니다.

勿用有攸往. 利建侯.
물용유유왕 리건후

우리 자신이 감정을 느끼거나 경험할 때, 우리는 너무나 쉽게 감정의 현상에 의존하여 감정의 가치를 판단합니다. '좋은 감정' 이외 '좋지 않은(不善) 감정' 또는 '나쁜(惡) 감정'이 있다고 판단하기 쉽습니다. 그런데 문제는 여기에서 끝나지 않습니다. 감정을 불선(不善)이나 악(惡)으로 판단하면, 그 즉시 그 감정을 무시하거나 떠나려고 합니다. 일례로 '이런 감정을 느끼면 안 되는데.' 또는 '이런 감정에서 벗어나고 싶다.'라는 생각을 합니다. 그러나 건괘(乾卦)과 곤괘(坤卦)에 의하면 이러한 생각은 감정에 대한 인식의 오류입니다. 이 오류를 바로 잡는 것이 둔괘(屯卦)의 괘사(卦辭)입니다. 따라서 우리는 괘사를 다음과 같이 번역하고 이해할 수 있습니다.

卦辭: 元, 亨, 利, 貞. 勿用有攸往. 利建侯.
_{패 사 원 형 리 정 물용유유왕 리건후}

乾坤의 교차로 생겨난 '나'[龍]는 영원의 필연성[乾] 안에서 무한한 방식으로 무한하게 존재하는 감정[坤]을 이해한다. '나'는 자기원인으로 존재[元]하며 자기원인으로 활동[亨]하는 최고의 행복[利]이다. '나'는 이 사실을 나 스스로 이해[貞]한다. '나'를 떠나서 행복을 구하지 않는다[勿用有攸往]. 따라서 자기 스스로 자기이해를 형성하는 자기 정신을 굳건히 지켜야 한다[利建侯].

곤괘(坤卦)의 육이(六二)에 의해서 감정의 진실은 감정에 대한 우리의 인식에 그 어떤 영향을 받지 않습니다.

坤卦-六二: 直方大. 不習无不利.
_{곤 괘 육 이 직 방 대 불 습 무 불 리}

감정은 오직 '자기 본성의 필연성'[直]을 따라서 무한한 방식으로 무한하게 존재하므로[方] 절대적으로 '순수지선'[大]이다. 그렇기 때문에 우리가 감정을 배우지 않아도[不習] 감정으로 살아가는 세상은 본래부터 '다 좋은 세상'이다[无不利].

감정 그 자체의 진실이 영원의 필연성 안에서 순수지선이기 때문에 우리는 매순간 무한한 방식으로 무한한 감정에 나아가 그 각각의 본성을 영원의 필연성으로 인식함으로써 감정의 순수지선을 확인합니다. 이것이 진정한 행복을 위한 방법입니다. 이 방법 이외 그 어떤 것으로도 우리는 존재의 순수지선을 확인할 수 없습니다. 사실상 자기 존재의 순수지선입니다.

그래서 건괘(乾卦)의 구이(九二)는 다음과 같이 말했습니다.

乾卦-九二: 見龍在田, 利見大人.
　　전 괘　구 이　현 룡 재 전　리 견 대 인

　‘나’[龍]는 영원의 필연성으로 ‘乾’ 안에서 생겨나고 활동하도록
결정되어 있다. 따라서 ‘공간과 시간’[在田]의 형식으로 드러나는[見]
나[龍]의 삶을 최고의 행복과 아름다움으로 누리는 방법[利見]은 ‘나’
스스로 자기 감정의 성스러움[大人]을 이해하는 것이다.

　여기에서 핵심은 ‘리견대인’(利見大人)입니다. 대인(大人)은
자기의 감정 밖에 존재하는 것이 아닙니다. 감정으로 존재하는
자기의 진실입니다. 감정에 대한 타당한 인식인 ‘자기이해’를
통해서 자기를 이해하는 자기의 진실입니다. 영원무한의 생명
과 사랑의 감정으로 존재하는 자기가 자기 존재에 고유한 진
실로서 영원무한의 생명과 사랑을 명명백백하게 이해하는 것
입니다.
　이러한 맥락에서 건괘의 ‘리견대인’(利見大人)에 기초하여
지금 공부하는 둔괘(屯卦)의 ‘리건후’(利建候)를 이해해야 합니
다. 감정의 진실을 원형리정(元亨利貞)으로 확인한 이상, 리건
후(利建候)는 자기이해의 감정이 자기이해를 지키는 것으로 이
해해야 합니다. 이 사실을 부정하면, 자기원인은 자기를 지키
기 위해서 자기 아닌 다른 것에 의존해야 합니다. 그러나 이
경우 감정의 자기원인은 부정됩니다. 따라서 ‘리건후’(利建候)
를 감정분석학과 다른 방식으로 이해하는 것은 감정의 자기원

인을 부정하는 결과를 초래합니다.

정이는 『역전』(易傳)에서 '리건후'(利建候)를 다음과 같이 설명합니다.

반드시 널리 보조함을 얻어야 한다. 그러므로 候를 세움이 이로운 것이다.

_『주역전의 上』

성백효 譯註/ 전통문화연구회(2016), 215.

그러나 이러한 방식으로 이해하면 곤괘(坤卦)의 상육(上六)을 부정하게 됩니다.

坤卦-上六: 龍戰于野. 其血玄黄.
곤 괘 상 육 용 전 우 야 기 혈 현 황

乾에 의해서 생겨난 모든 '나'[龍]는 전전긍긍[戰]하며 자연[野]의 모든 감정을 감정분석학[周易]으로 이해한다. 이로부터 '나'는 자연 전체와 '본래 하나'라는 사실이 밝혀진다. 따라서 '나'[龍]의 생명[血]은 '단 하나의 영원한 생명'[玄(天)] 안에서 땅 위의 '무한한 생명'[黄(地)]으로 존재한다.

감정에 대한 올바른 인식은 오직 자기원인 안에 있습니다. 자기원인으로 존재하며 활동하는 감정은 당연히 자기이해에 관해서는 자기원인이지 않으면 안 됩니다. 자기원인의 감정이 자기이해 안에서 자기를 이해하는 것과 같은 방식으로 자연의 모든 감정을 이해하는 것이 '용전우야'(龍戰于野)입니다. 이때 감정이 자기 아닌 다른 것에 의존하거나 도움을 받아서 감정을 이해한다면, 그것은 자기이해가 아닙니다. 이 경우 감정의 자기이해를 확인하는 곤괘의 용육(用六)을 어기게 됩니다.

坤卦-用六: 利永貞.
곤 괘　용 육　리 영 정

감정을 느끼며 감정으로 살아가는 자연의 진실은 '다 좋은 세상'[利]이다. 왜냐하면 감정의 진실은 영원의 필연성으로 순수지선이기 때문이다. 이 진실은 영원무한이다[永]. 이 진리를 이해하는 방법은 감정분석학[周易]의 자기 감정에 대한 '자기이해'[貞]이다.

그러므로 우리는 건괘(乾卦) 구이(九二)의 '리견대인'(利見大人)과 곤괘(坤卦) 용육(用六)의 리영정(利永貞)에 근거하여 둔괘(屯卦) 괘사(卦辭)의 '리건후'(利建候)를 감정분석학으로 이해하는 것이 옳다는 결론을 도출할 수 있습니다. 자기원인으로 존재하는 감정이기 때문에 감정은 자기원인으로 자기를 이해합니다. 이 이해는 영원무한의 필연성 안에 존재하기 때문에 그 자체의 본성이 명명백백합니다. 따라서 감정이 자기이해 안에서 자기의 순수지선을 확인하는 한에서 감정은 절대적으로 자기이해를 믿음으로 지켜야 합니다. 이것은 의무가 아니라 지극히 당연하고 자연스러운 것입니다.

2. 初九(초구): 감정의 영원불변한 진실

　감정은 우리의 인식에 상관없이 그 자체로 영원무한의 생명과 사랑을 본성으로 가지고 존재합니다. 오직 이 사실에 근거하여 모든 감정은 영원의 필연성으로 순수지선입니다. 자연 안에 무한한 방식으로 무한하게 존재하는 감정은 건곤(乾坤)의 교차 안에 있습니다. 그렇기 때문에 자연 안에 존재하는 모든 감정은 단 하나의 예외 없이 영원무한의 생명과 사랑 안에서 영원무한의 생명과 사랑으로 존재합니다. 이 사실은 영원불변의 진실입니다. 이 진실을 초구(初九)는 다음과 같이 확인합니다.

　初九(초구): 磐桓(반환).

　정이와 주자는 반환(磐桓)을 '머뭇거림'으로 번역합니다. 그러나 반(磐)은 '반석'(磐石)을 뜻하기도 합니다. 감정은 마치 반석 위에 있는 것과 같아서 절대적으로 자기 존재에 관하여 본성의 필연성을 어기지 않습니다. 동시에 절대적으로 자기 존재에 고유한 본성(磐) 위에 있습니다. 그래서 초구(初九)는 반환(盤桓) 다음에 '리거정'(利居貞)이라고 말합니다. 정(貞)은 곤괘(坤卦)의 괘사(卦辭)와 효사(爻辭)에서 확인하였듯이 감정의 자기이해입니다.

坤卦-卦辭:安貞吉.
곤 괘   괘 사 안 정 길

따라서 감정의 자기이해[安貞]가 최고의 행복이다[吉].

坤卦-用六: 利永貞.
곤 괘   용 육   리 영 정

감정을 느끼며 감정으로 살아가는 자연의 진실은 '다 좋은 세상'[利]이다. 왜냐하면 감정의 진실은 영원의 필연성으로 순수지선이기 때문이다. 이 진실은 영원무한이다[永]. 이 진리를 이해하는 방법은 감정분석학[周易]의 자기 감정에 대한 '자기이해'[貞]이다.

감정의 진실은 영원무한의 생명과 사랑이며, 그렇기 때문에 감정의 자기이해도 영원무한의 생명과 사랑입니다. 이 사실을 모르고 사는 것 보다는 배워서 이해하며 사는 삶이 보다 더 행복합니다. 그리고 이 사실을 모르면 감정을 선악으로 구분하거나 판단합니다. 이로부터 나쁜 감정이 존재한다는 생각을 하게 됩니다. 이 생각은 나쁜 감정을 제거해야 한다는 생각으로 전개됩니다. 영원의 필연성 안에서 생명과 사랑으로 존재하는 감정을 잘못 이해한 것입니다. 그렇기 때문에 우리가 겪는 비극은 엄밀히 말해서 감정의 진실이 아니라 감정의 진실에 대한 인식의 오류로 인하여 발생하는 것입니다.

무엇보다도 감정의 자기이해를 지키는 것이 학문에서 가장 중요합니다. 이 사실을 초구(初九)는 리거정(利居貞)에 이어서 '리건후'(利建侯)로 확인합니다. 그러므로 우리는 둔괘(屯卦)의 초구(初九)를 다음과 같이 번역하고 이해할 수 있습니다.

初九: 磐桓. 利居貞, 利建侯.
초구 반환 리거정 리건후

　'나'[龍]의 진실은 乾坤이 교차하는 영원무한의 생명과 사랑이기 때문에 '나'의 행복은 절대 흔들리지 않는 반석[磐] 위에 굳건[桓]하다. 이 사실은 자기 본성을 자기 스스로 이해하는 '자기이해'가 영원의 필연성으로 확인하는 것이므로, '나'는 반드시 이 이해로 살아가야 하며[利居貞] 이 이해를 지켜야 한다[利建侯].

　감정의 자기이해(貞)에 머무는(居) 것이 행복(利)입니다. 이 이해를 지키는(建侯) 것이 우리를 행복(利)으로 인도하는 학문의 진실입니다.

3. 六二: 감정의 자기 사랑
　　육 이

　둔괘(屯卦) 초구(初九)의 진실에도 불구하고 매순간 무한한 감정을 경험할 때 우리는 감정의 겉모습이나 현상으로 감정을 판단하기 쉽습니다. 나쁜 감정이 존재한다고 잘못 생각하는 것입니다. 그런 감정 속에 '나' 자신이 존재한다는 것은 사실상 '나 = 나쁜 감정'의 등식입니다. 그런데 이 등식은 그저 등식으로 끝나지 않습니다. 자기 스스로 심각한 자기 절망에 빠지게 됩니다. 절망 속에 있는 자신의 존재를 부정하는 것이 자살입니다. 반대로 세상이 자신을 절망에 빠지게 했다는 원망에 휩싸이게 되면 세상을 부정하게 되는데 그것이 바로 살인이나 폭력 또는 전쟁입니다. '너 = 나쁜 감정'으로 판단하면, 그 즉시 전쟁 정신에 몰입하게 됩니다.

이 비극을 바로잡기 위해서 구이(九二)는 다음과 같이 말합니다.

六二: 屯如, 邅如.
육 이   둔 여   전 여.

둔괘(屯卦)의 핵심은 자기이해 속에서 자신에 대한 타당한 이해를 형성하는 감정이 자기이해를 지키는 것입니다.

卦辭: 元, 亨, 利, 貞. 勿用有攸往. 利建侯.
괘 사   원   형   리   정   물용유유왕   리건후.

乾坤의 교차로 생겨난 '나'[龍]는 영원의 필연성[乾] 안에서 무한한 방식으로 무한하게 존재하는 감정[坤]을 이해한다. '나'는 자기원인으로 존재[元]하며 자기원인으로 활동[亨]하는 최고의 행복[利]이다. '나'는 이 사실을 나 스스로 이해[貞]한다. '나'를 떠나서 행복을 구하지 않는다[勿用有攸往]. 따라서 자기 스스로 자기이해를 형성하는 자기 정신을 굳건히 지켜야 한다[利建侯].

괘사에 근거하여 둔(屯)의 뜻을 '자기구원' 또는 '자기보호'라고 확인할 수 있습니다. 그래서 육이(六二)의 둔여(屯如)를 다음과 같이 번역할 수 있습니다.

자기를 지키며[屯] 자기로 돌아와야 한다[遵].

자기 스스로 자기의 감정을 감각적 현상으로 바라보면 실질적으로 자기 스스로 자기 감정을 부정하는 지경에 처하게 됩니다. '내가 이런 감정을 느껴도 될까?'라고 잘못 생각하는 것입니다. 이렇게 자기 감정에 대한 인식의 오류 속에 있는 사람은 자기 아닌 다른 사람의 감정에 대해서 함부로 말하거나 판단합니다. '왜 그렇게 감정을 느껴?'라고 비난하는 것입니다. 그런데 이렇게 잘못 생각하면 자기 감정에 대해서는 자기 스스로 자기 존재를 부정하는 자살과 다를 바가 없으며 다른 이의 감정에 대해서는 다른 이의 존재를 부정하는 살인과 다를 바가 없습니다. 이 모든 비극을 구제하는 방법은 자기 스스로 자기 감정의 진실을 이해하는 것입니다. 그래서 감정분석학의 기초는 감정으로 존재하는 우리 자신이 자기 감정의 진실을 지키고 돌아오는 것입니다.

그러나 감정의 자기이해가 분명하지 않으면 그 즉시 감정의 겉모습이나 감각적 현상만으로 감정을 이해합니다. 우리 자신을 포함해서 세상 모든 사람들이 그와 같은 방식으로 감정에 대한 잘못된 이해를 형성하면, 감정을 선악으로 구분합니다. 문제는 우리 자신이 또는 세상 사람들이 우리 자신의 감정을 두고 악(惡)이나 불선(不善)으로 판단하는 경우입니다. 이 지경에 처하면 자기 스스로 자신이 느끼고 있는 감정을 자기 스스로 부정하거나 외면하는 비극이 발생합니다. 이것을 육이

(六二)는 다음과 같은 비유로 이야기합니다.

乘馬班如
승 마 반 여

말을 탄다는 승마(乘馬)는 지금 자신의 자리를 떠나는 것을 의미합니다. 자기 감정을 떠나는 것입니다. 그러나 그렇게 해서는 안 된다고 말합니다. '승마반여'(乘馬班如)의 반여(班如)입니다. 그런데 육이(六二)는 여기에 그치지 않고 보다 더 강력하게 다음과 같이 말합니다.

匪寇婚媾
비 구 혼 구

감정은 자기의 행복을 부정하거나 빼앗는 도적(寇)이 아니라(匪), 마치 신부가 사랑 안에서 신랑을 만나는 것과 같이(婚媾) 감정은 자기 사랑 안에서 자기를 배우는 것이라고 합니다. 이에 이어서 나오는 것은 매우 중요합니다.

女子貞
여 자 정

이 말을 보는 즉시 곤괘(坤卦)의 '빈마지정'(牝馬之貞)을 기억해야 합니다.

坤卦-卦辭: 元, 亨, 利, 牝馬之貞.
곤괘 괘사 원 형 리 빈마지정

자기원인으로 존재[元]하며 자기원인으로 활동[亨]하는 것이 최고의 행복[利]이다. 이 존재로부터 자연의 모든 감정이 생겨나며[牝馬], 동시에 이 존재는 자기가 산출하는 모든 감정에 대한 이해를 자기 안에 본래부터 가지고 있다[貞].

'여자'(女子)와 '빈'(牝)은 본성에 관하여 서로 일치합니다. 신부가 신랑과의 사랑을 통해서 자식을 낳는 것과 같이 감정으로 존재하는 우리 자신이, 마치 신부가 사랑 안에서 신랑을 만나는 것과 같이, 사랑 안에서 자신과 만나면, 감정 스스로 자기의 진실을 확인하게 됩니다. 마치 신부가 자기 배 안에 품고 있는 생명을 눈으로 직접 보는 것과 같습니다. 이 이해가 '여자정'(女子貞)입니다. 감정의 자기이해를 뜻하는 정(貞)은 여성(女性)의 성(性)에 고유한 진실입니다. 물론 이때의 여성은 곤괘(坤卦)에서 논한 바와 같이 우리의 몸을 낳아주신 엄마의 본성입니다. 이점을 우리가 절대 혼동해서는 안 됩니다. 눈에 보이는 여성이 아니라 우리 자신의 존재에 고유한 본성의 필연성으로서 '여성의 엄마'입니다.

이렇게 자기 사랑 안에서 자신을 배우고 다시 이 배움으로 자신을 사랑하면, 확고부동한 감정의 자기이해 안에서 우리는 마침내 감정에 대한 올바른 말을 주고받습니다. 이 사실을 육이(六二)는 다음과 같이 확인합니다.

不字十年乃字
불 자 십 년 내 자

여기에서 자(字)는 엄마가 자식을 낳는 것입니다. 엄마 혼자서 자식을 낳을 수 있을까요? 아빠를 만나서 사랑해야 엄마는 엄마로서 존재할 수 있으며 자식을 낳을 수 있습니다. 엄마가 곤괘(坤卦)라면, 아빠는 건괘(乾卦)입니다. 그런데 건괘의 진실은 다음과 같습니다.

乾卦-卦辭: 元, 亨, 利, 貞.
건 괘 괘 사 원 형 리 정

자기원인으로 존재[元]하며 자기원인으로 활동[亨]하는 것이 최고의 행복[利]이다. 이 존재는 영원의 필연성으로 자기 안에서 자기 존재와 활동에 대한 개념을 자기 스스로 이해[貞]한다. 나는 이러한 방식으로 존재하는 순수지선을 '乾'으로 이해한다.

자기원인이 감정의 진실로서 건괘이며, 이것은 영원의 필연성입니다. 영원의 필연성으로 생명과 사랑 안에서 생겨난 감정이기 때문에 감정은 자신에 대한 타당한 인식에 상관없이 본래부터 순수지선입니다. 자기원인으로 생겨나서 존재하며 활동하고 이해합니다. 이 진실은 절대적입니다. 곤괘(坤卦)의 구이(九二)가 이 사실을 확인합니다.

坤卦-六二: 直方大. 不習无不利.
곤 괘 육 이 직 방 대 불 습 무 불 리

감정은 오직 '자기 본성의 필연성'[直]을 따라서 무한한 방식으로 무한하게 존재하므로[方] 절대적으로 '순수지선'[大]이다. 그렇기 때문에 우리가 감정을 배우지 않아도[不習] 감정으로 살아가는 세상은 본래부터 '다 좋은 세상'이다[无不利].

이 사실이 분명하기 때문에 감정은 자기원인으로 자신의 진실을 배웁니다.

乾卦-九三: 君子終日乾乾. 夕惕若厲, 无咎.
건 괘 구 삼 군 자 종 일 건 건   석 척 약 려   무 구

자기 존재의 성스러움[大人]을 이해하는 사람[君子]은 매순간 자기 몸이 새롭게 느끼는 감정을 乾 안에서 이해한다[乾乾]. 즉, 자기 스스로 자기 감정의 무한성을 영원의 필연성으로 이해한다. 이 이해를 향한 '감정분석학'[周易]은 매우 어려운 학문으로 다가오지만[夕惕若厲], 오직 이 학문만이 행복의 방법이다[无咎].

이처럼 건곤(乾坤)의 교차 안에 무한한 방식으로 무한하게 생겨나는 감정이기 때문에 감정이 자기에게 나아가 자기의 진실을 배우면 자신의 순수지선을 확인하게 됩니다. 이 인식은 자기를 향한 사랑이며, 이 사랑은 철두철미 인식 안에 있습니다. 그래서 신부가 신랑을 만나 사랑함으로써 자기 안에 생명을 잉태하고 출산하는 것과 같이 감정은 자기를 사랑함으로써 자기 안에 자기의 진실을 인식하고 그것으로 살아가게 됩니다.

그러므로 우리는 둔괘(屯卦)의 육이(六二)를 다음과 같이

번역하고 이해할 수 있습니다.

六二: 屯如, 邅如. 乘馬班如, 匪寇婚媾. 女子貞, 不字十年乃字.
<small>육이 둔여 전여 승마반여 비구혼구 여자정 불자십년내자</small>

자기를 지키며[屯] 자기로 돌아와야 한다[邅]. 자신의 겉모습이 너무 싫을 때, 그런 자신을 향한 다른 이들의 말 때문에 너무 괴로울 때, 자기는 자살이나 살인 등으로 자신의 현상을 벗어나려 한다[乘馬]. 그러나 이렇게 감정이 요동치는 순간, 자기는 자기 본래의 진실로 돌아와야 한다[班如]. 자기의 겉모습은 행복을 빼앗는 것[匪寇]이 아니라 최고의 아름다움을 품고 있는 성스러운 것이다[婚媾]. 지금 자신의 현상을 떠나지 않고[匪媾], 마치 신부[女子]가 사랑하는 신랑을 향해 나아가는 것처럼 자기 현상에 나아가[婚媾] 그에 고유한 영원의 필연성을 인식해야 한다[貞]. 이렇게 자신을 배우면, 지금 당장은 초라해 보이는 자기 겉모습에 대해서 할 말이 없지만[不字], 배움의 시간이 쌓이면[十年] 반드시 자기 존재가 얼마나 성스러운지 자신 있게 말할 수 있게 된다[字].

4. 六三: 감정의 비극
<small>육 삼</small>

우리가 감정의 현상에 내재한 그 자체의 본성을 영원의 필연성으로 인식함으로써 감정의 진실을 영원무한의 생명과 사랑으로 이해하는 한에서 감정을 느끼며 감정으로 존재하는

우리에게 가장 중요한 것은 감정에 대한 참다운 인식입니다. 이 인식이 분명하지 않으면 그 즉시 우리는 불행에 휩싸이게 됩니다. 우리는 감정을 느끼며 그에 대한 개념을 형성함으로써 사실상 감정으로 존재합니다. 그렇기 때문에 감정을 올바르게 이해하지 않는다는 것은 실질적으로 우리 자신에 대한 올바른 이해를 결여한다는 것을 뜻합니다. 영원의 필연성 안에서 순수 지선으로 존재하는 우리 자신을 감각적 현상에만 의존함으로써 선악(善惡)이나 미추(美醜)로 잘못 인식하는 것은 터무니없는 비극입니다.

건괘(乾卦)와 곤괘(坤卦)에 이어서 둔괘(屯卦)가 감정을 향한 올바른 인식을 적극적으로 강조하는 이유가 여기에 있습니다. 지금 '나'의 존재는 지금 내가 느끼는 '감정'에 의해서 확인됩니다. 감정으로 존재하는 자기가 자신의 감정에 대해서 참답게 이해하면 최고의 행복을 확인하고 누리게 됩니다. 감정은 자기 존재에 관한 한 영원의 필연성을 본성으로 가지며, 그것은 영원무한의 생명과 사랑입니다. 영원무한의 생명과 사랑 보다 더 완전하고 좋은 것이 있을까요? 이 질문에 대한 답으로서 좋은 집이나 차 또는 황금을 제시할 수 있습니다. 그러나 다음과 같은 질문에 대해서 어떻게 답을 할 수 있을까요? 지금 '나'의 존재가 없다면 좋은 집이나 차 또는 황금이 무슨 의미가 있습니까? '나'의 존재 안에서 좋은 집이나 차 그리고 황금이 소중한 것이 아닐까요.

우리가 이 사실에 동의한다면, 정말 중요하고 소중한 것은 지금 '나' 자신입니다. 그런데 조금 전에 '나'의 존재는 사실상 지금 나의 '감정'이라고 했습니다. 그렇다면 가장 소중한 것은 지금 나의 감정입니다. 최고의 완전성 그 자체인 영원무한의 생명과 사랑으로 존재하는 지금 나의 감정이 가장 중요합니다. 지금 자신의 감정을 떠나서 좋은 것이 별도로 존재한다거나, 그것을 소유하지 못할 경우 불행할 수밖에 없다고 생각한다면, 그것은 자기 존재 또는 자기 감정에 대한 매우 심각한 인식의 오류입니다. 이 오류를 육삼(六三)은 다음과 같이 확인합니다.

六三: 卽鹿无虞, 惟入于林中.
육삼　즉록무우　유입우림중

즉록(卽鹿)은 '탐욕'을 뜻합니다. 정이도 『역전』(易傳)에서 다음과 같이 말합니다.

비록 구하는 바에 탐욕을 내나 이미 스스로 구제할 수 없고
_『주역전의 上』
성백효 譯註/ 전통문화연구회(2016), 224.

『상전』(象傳)도 같은 뜻으로 이해합니다.

사슴을 쫓되 虞人이 없음은 짐승을 탐내어 쫓았기 때문이고
_『주역전의 上』
성백효 譯註/ 전통문화연구회(2016), 225.

탐욕은 본질적으로 행복을 자기 밖에서 구하는 것입니다. 이미 자기는 최고의 완전성 안에서 최고의 행복으로 존재하고 있습니다. 자기 감정에 대한 자기이해로부터 명백한 진리입니다. 이 진리를 모르면 행복을 밖에서 구걸하는 비참한 지경에 처하게 됩니다. 이러한 비극적인 구걸이 탐욕이며, 이것을 주역 둔괘는 '즉록무우'(卽鹿无虞)라고 은유적으로 표현합니다. 우인(虞人)은 길을 인도하는 사람입니다. 이 우인(虞人)이 없다는 것은 길이 아닌 잘못된 길을 가기 때문에 하는 말입니다. 잘못된 길은 당연히 헛된 망상으로 거짓 행복을 추구하는 것입니다.

그러나 여기에서 오해하면 안 됩니다. 좋은 집과 차, 황금을 추구하는 것은 헛된 망상의 거짓 행복이 아닙니다. 자기 행복의 진실을 모르고 행복을 구걸하는 처지에 스스로 가두는 것이 헛된 망상입니다. 이 망상으로 좋은 집과 차 그리고 황금에서 행복을 구하는 것이 거짓 행복입니다. 이것을 '惟入于林中'이라 합니다. 이상의 논의에서 우리는 육삼의 효사(爻辭) 일부분을 다음과 같이 번역하고 이해할 수 있습니다.

六三: 卽鹿无虞, 惟入于林中.

지금 자기의 감정을 떠나 미래의 환상에서 자기 행복을 구하려고 하면[卽鹿], 헛된 것을 쫓는 것이므로 참다운 행복으로 인도하는 감정분석학[周易]을 잃어버린다[无虞]. 이는 마치 깊은 숲에서 길을 잃는 것과 같다.

이에 이어서 다음과 같은 효사(爻辭)가 등장합니다.

君子幾, 不如舍, 往吝.
군 자 기   불 여 사   왕 린

여기에서 매우 중요한 것은 '기'(幾)입니다. 감정으로 존재하는 자기가 자기 감정에 대한 올바른 인식을 형성하면 그것으로 자기는 최고의 행복을 누립니다. 그러나 자기이해를 결여하면 그 즉시 자기는 최고의 행복 안에 존재하고 있음에도 불구하고 최고의 행복을 자기 밖에서 구걸하는 비극적인 처지에 놓이게 됩니다. 결국 자기이해의 여부에 의해서 자기 스스로 자기의 행복을 결정합니다. 이 결정의 순간이 '기'(幾)입니다. 우리가 주역을 감정분석학으로 이해하는 한에서 우리는 이 순간에 어떤 결정을 해야 할까요? 당연히 자기이해를 결여함으로써 발생하는 행복에 대한 잘못된 생각을 버리는(舍) 것입니다.

행복을 밖에서 구하겠다면서 떠나버리면(往), 비극(吝)을 맞이할 수밖에 없습니다. 정이도 『역전』(易傳)에서 다음과 같이 확인합니다.

君子는 기미를 보아 버리는 것만 못하니, 만일 쫓아가고 버리지 않는다면 반드시 부끄러움이 이룰 것이니

참고로 이 논의는 이미 건괘(乾卦)의 구사(九四)에서 확인했습니다.

乾卦-九四: 或躍. 在淵, 无咎.

감정분석학을 연마하는 '나'[龍]는 간혹 외부 원인에 의해서 자신의 감정이 결정되었다는 인식의 오류를 범할 수 있다[或躍]. 이 오류로 인하여 자기 스스로 자신의 감정 또는 자기가 경험하는 감정을 떠나려고 생각할 수 있다. 그러나 그렇게 하지 않고 자신의 감정을 비롯해서 세상의 모든 감정을 본성에 고유한 필연성으로 이해하면[在淵], 자기는 감정의 순수지선을 이해함으로써 최고의 행복을 누린다[无咎].

그러므로 우리는 둔괘(屯卦)의 육삼(六三)을 다음과 같이 최종적으로 번역하고 이해할 수 있습니다.

六三: 卽鹿无虞, 惟入于林中. 君子幾, 不如舍, 往吝.

지금 자기의 감정을 떠나 미래의 환상에서 자기 행복을 구하려고 하면[卽鹿], 헛된 것을 쫓는 것이므로 참다운 행복으로 인도하는 감정분석학[周易]을 잃어버린다[无虞]. 이는 마치 깊은 숲에서 길을 잃는 것과 같다. 자기 행복을 배우는 사람[君子]은 행복과 불행을 결

정하는 생각의 순간[幾]을 이해함으로써 행복에 대한 오해를 물리쳐야 한다[不如舍]. 그렇지 않고 잘못된 생각의 길로 가면[往] 불행에 빠진다[吝].

5. 六四: 감정의 자기 치유
　　　　육 사

　　육삼(六三)에서 자기 행복의 진실을 이해하는 군자(君子)는 더 이상 행복을 밖에서 구하지 않습니다. 자신의 감정을 떠나서 참된 행복을 찾지 않습니다. 이 뉘우침을 둔괘(屯卦)는 말에서 내려오는 것과 같다고 말합니다. '승마반여'(乘馬班如)입니다. 둔괘의 육이(六二)에서 확인했습니다.

　　六二: 屯如, 邅如. 乘馬班如, 匪寇婚媾.
　　　　육 이　둔 여　전 여　　승 마 반 여　　비 구 혼 구

　　자기를 지키며[屯] 자기로 돌아와야 한다[邅]. 자신의 겉모습이 너무 싫을 때, 그런 자신을 향한 다른 이들의 말 때문에 너무 괴로울 때, 자기는 자살이나 살인 등으로 자신의 현상을 벗어나려 한다[乘馬]. 그러나 이렇게 감정이 요동치는 순간, 자기는 자기 본래의 진실로 돌아와야 한다[班如].

　　육사(六四)도 육이(六二)의 핵심을 다시 확인합니다.

六四: 乘馬班如, 求婚媾.
육 사 승 마 반 여 구 혼 구

　혼구(婚媾)는 신부가 신랑에게 가는 것입니다. 이는 마치
감정으로 존재하는 우리 자신이 자기 감정에 나아가 사랑 안
에서 자기이해를 형성하는 것과 같습니다. 신부가 신랑에게 가
는 것은 감정이 자기에게 나아가 자기 본성의 필연성을 이해
하는 것입니다. 그래서 혼구(婚媾)라고 했습니다. 우리가 이 점
을 명백히 이해하면, 육사(六四)의 효사에서 나머지 부분을 확
인할 수 있습니다.

往吉, 无不利.
왕 길 무 불 리

　위의 왕(往)을 육삼(六三)의 왕(往)과 혼동해서는 안 됩니
다. 육사(六四)의 왕(往)은 신부가 신랑에게 가는 것으로서 사
실상 감정이 자기 본성의 필연성을 확인하는 것입니다. 반면
육삼(六三)의 왕(往)은 이미 자기 안에 있는 행복을 확인하지
못하고 행복을 밖에서 구하겠다는 착각으로 자기를 떠나는 것
입니다. 『상전』(象傳)도 육사(六四)의 왕(往)을 '자기이해'의 자
명(自明)으로 확인합니다.

　구하여 감은 현명한 것이다.

_『주역전의 上』
성백효 譯註/ 전통문화연구회(2016), 226.

‘구하여 감’을 뜻하는 ‘구이왕’(求而往)에서 구(求)는 자기 안에서 자기 행복을 구하는 것이며 왕(往)은 자기(감정)가 자기(자기 본성의 필연성)에게 나아가는 것입니다. 이것이 자기 이해의 자명입니다. 이 사실을 『상전』은 명(明)으로 정리했습니다.

그러므로 우리는 육사(六四)의 효사(爻辭)를 다음과 같이 번역하고 이해할 수 있습니다.

六四: 乘馬班如, 求婚媾. 往吉, 无不利.
육사　승마반여　구혼구　왕길　무불리

자기 행복에 대한 잘못된 생각에서 내려와[乘馬班如] 자기 스스로 자기 안에 본래부터 존재하는 영원무한의 생명와 사랑을 이해해야[求婚媾] 한다. 그렇게 함으로써 오직 자기이해만을 따라서 살아갈 때[往], '나'는 최상의 행복을 누리는 축복을 받는다[吉]. '나'는 '다 좋은 세상'을 배우는 즐거움으로 살아갈 수 있다[无不利].

6. 九五: 감정분석학의 논리
구　오

감정으로 존재하는 우리 자신이 영원의 필연성 안에서 영원무한의 생명과 사랑 그 자체로 존재하고 있다는 사실을 어떻게 이해할 수 있을까요? 이 물음에 대한 답을 이해하기가 정말 어렵습니다. 그러나 이해의 어려움은 우리 자신의 이해력에 어떤 문제나 결함이 있기 때문에 발생하는 것이 절대 아닙니다. 현대 교육이 이 물음에 대한 답을 가르치지 않을 뿐만 아니라 이 물음 자체를 용납하지 않기 때문에 이런 문제가 발생합니다. 그러나 우리의 변하지 않는 진실은 감정을 느끼며 감정으로 존재한다는 것입니다. 감정으로 인해 살인과 자살 등 우리 세상의 모든 일이 발생합니다. 감정 없이 그 어떤 일도 우연적으로 발생하지 않습니다.

우리 자신이 자신의 감정에서 영원무한의 생명과 사랑을 이해하고 그와 동시에 자기 존재의 이 이해로 확인하면, 우리는 절대적으로 살인이나 자살 같은 생명과 사랑을 어기는 잘못된 선택을 하지 않습니다. 우리 모두가 서로를 생명과 사랑으로 이해하면, 우리는 오직 생명과 사랑 안에서 서로를 사랑합니다. 이렇게 간단하고 쉬운 방법이 있음에도 불구하고 우리가 감정의 진실을 이해하지 못하면 기본적으로 서로에 대해서 믿음과 사랑을 형성할 수 없습니다. 철학적으로 말해서 인간 본성의 선함을 부정하는 것입니다. 그것을 전제로 인간 세상을 다스린다면, 결국 인간 본성에 대한 참다운 인식은 전혀 중요하지 않습니다.

인간 본성의 악(惡)을 우리가 굳이 배울 필요가 없습니다. 그 대신 어떻게 하면 본성의 악(惡)을 제거하거나 억압할 수 있을지, 그 방법만을 고민합니다. 그러나 이것은 두 가지 측면에서 오류입니다.

첫째, 인간 본성에 대한 인식의 오류입니다.

둘째, 인간 본성이 이미 악(惡)으로 결정되어 있다면 우리가 굳이 악한 본성을 걱정하거나 고민해서는 안 됩니다.

위에서 아래로 흐르는 물을 그 어떤 조절 없이 아래로부터 위로 흐르게 할 수 있을까요? 사실상 터무니없는 억지에 불과합니다. 같은 방식으로 인간 본성의 악(惡)을 전제로 본성을 조절하겠다는 것 또한 억지입니다. 물론 이 비판은 인간 본성의 선(善)을 주장하는 것에도 적용됩니다. 그러나 인간 본성의 선을 확인하는 주장은 본성에 대한 참다운 인식을 주장하지, 절대적으로 본성을 조절하거나 억제하자는 주장을 펴지 않습니다. 이 점이 매우 중요합니다. 인간 본성의 악(惡)을 주장하는 사람들은 본성에 대한 억압과 조절을 강조하지만, 인간 본성의 선(善)을 주장하는 사람들은 본성에 대한 참다운 인식을 강조합니다.

우선 우리 스스로 판단해 봅시다. 어느 주장이 우리의 기분을 좋게 할까요? 아주 간단하게 어떤 이가 우리 자신을 향해서 '당신의 본성은 악(惡)이므로 당신 스스로 또는 사회의 규칙을 통해서 당신의 본성에 대해서 조절이나 억제를 해야 합니다.'라고 말한다면, 기분이 어떻습니까? 반대로 '당신은 영원의 필연성으로 순수지선을 본성으로 갖는 사람이니까 자기 본성을 배워서 본성대로 자유롭게 살아가세요.'라고 말한다면,

기분이 어떻습니까? 이런 질문을 하면 논리학을 좋아한다는 사람들은 '감정에 호소하는 오류'라고 비난합니다.

감정으로 느끼며 감정으로 존재하는 것이 지금 우리 자신의 진실입니다. 감정의 소리에 귀를 기울여 이해하는 것이 왜 오류입니까? 지금 자신의 존재가 어떤 실상으로 존재하고 있는지 들어 보는 것이 감정을 경청하는 것입니다. 우리는 종종 잘못을 합니다. 그때, '너는 본성이 악(惡)이라서 그래.'라는 말과 '선한 사람이 어쩌자고 그런 일을 했어?'라는 말을 듣게 된다면, 어느 말이 우리의 기분을 좋게 할까요? 당연히 후자입니다. 왜 우리는 이렇게 감정을 느끼는 것일까요? 이 물음에 대한 답이 감정분석학의 논리입니다.

무엇보다도 우리는 몸으로 생겨납니다. 우리 가운데 몸이 없이 생겨난 사람은 없습니다. 그리고 몸으로 생겨난 이상 당연히 몸으로 살아갑니다. 몸으로 살아가는 것이 감정을 느끼며 그에 대한 개념을 형성하는 것입니다. 그렇기 때문에 감정을 느끼며 감정으로 존재한다는 것은 우리가 이미 몸으로 생겨나서 몸으로 살아간다는 사실에 대한 증명입니다. 우리가 이 지점에서 몸과 감정의 진실에 대해서 이해한다면, 몸의 생김은 감정에 앞선다는 것이 분명합니다.

몸은 어떻게 생겨난 것일까요? 당연히 엄마아빠의 사랑으로 생겨납니다. 이 사랑에 대한 인식이 매우 중요합니다. 우리 가운데에는 엄마아빠를 경험하지 못한 분들이 의외로 많습니다. 그러나 엄마아빠를 경험하지 못했다고 해도 엄마아빠의 존

재가 사라지거나 부정되는 것은 아닙니다. 우리 몸을 향한 우리 자신의 생각 안에서 엄마아빠의 존재는 경험에 전혀 영향을 받지 않고 영원의 필연성으로 존재합니다. 경험에서 엄마아빠를 이해하면 그곳에는 우연이 많습니다. 그러나 우리 몸을 향한 우리 자신의 생각 안에서 엄마아빠를 이해하면, 엄마아빠의 존재는 영원의 필연성입니다. 영원의 필연성으로 존재하는 엄마아빠는 어떻게 서로를 사랑할까요? 영원무한의 사랑합니다.

엄마아빠의 사랑에 대한 우리의 경험에 상관없이 우리 몸을 향한 우리 자신의 생각 안에서 영원의 필연성으로 엄마아빠가 존재한다는 사실로부터 이 두 분의 사랑은 영원의 필연성입니다. 영원의 필연성으로 존재하는 엄마아빠가 영원의 필연성으로 사랑한 결과 지금 우리 자신의 몸이 생겨났습니다. 생명이 생명을 낳는다는 것은 지극히 당연하기 때문에 지금 우리 몸의 생명을 낳아주신 엄마아빠의 사랑은 생명이며, 이 두 분의 사랑이 영원의 사랑이기 때문에 당연히 이 두 분의 생명은 영원의 생명입니다. 따라서 다음과 같은 결론은 필연적입니다.

영원무한의 생명과 사랑이 영원의 필연성으로 존재하며, 이 존재로부터 지금 우리 자신의 몸이 생겨났다.

이 진실이 우리 몸의 생김에 고유한 진실이라면, 몸으로 살아가며 느끼는 감정에 고유한 진실은 무엇일까요? 당연히 몸의 생김에 고유한 진실이 감정의 진실로 존재합니다. 왜냐하면 생겨난 몸으로 살아가기 때문에 생겨난 몸에 고유한 본성은 당연히 몸으로 살아가는 감정에 존재합니다. 이로부터 자연 안에서 무한한 방식으로 무한하게 존재하는 감정에 고유한 단 하나의 영원한 필연성은 영원무한의 생명과 사랑입니다. 이것이 감정분석학의 논리입니다. 생겨난 몸으로 살아가는 것은 감정을 느끼는 것입니다. 그런데 우리가 생겨난 몸에 고유한 본성으로서 영원무한의 생명과 사랑을 확인한다면, 당연히 감정의 본성도 영원무한의 생명과 사랑입니다. 이것으로 우리의 질문은 해결됩니다.

우리가 위와 같이 감정분석학에 근거하여 감정의 진실을 이해하면, 정말 중요한 것은 우리 자신의 몸이 학문의 기초라는 점입니다. 이 사실을 구오(九五)의 효사(爻辭)는 다음과 같이 확인합니다.

九五: 屯其膏.
구 오　둔 기 고

둔(屯)은 이미 앞에서 충분히 논의한 바와 같이 '자기이해'를 지키는 자기의 '자기보호'입니다. 이제 남은 문제는 기고(其膏)입니다. 기(其)는 3인칭이 아닙니다. 자기 자신을 뜻합니다. 고(膏)는 말 그대로 자기 자신의 몸입니다. 그래서 둔기고(屯其

膏)는 지금 자기가 자기의 몸을 지킨다는 것으로 이해할 수 있습니다. 왜 그렇게 해야 할까요? 감정분석학의 논리에 근거하여 보면 지극히 당연합니다. 감정의 본성을 이해하는 방법은 자기 몸의 본성을 이해하는 것입니다. 그런데 지금 자기 몸은 어디에 있을까요? 지금 살아 숨 쉬는 지금 자신의 몸입니다. 이 몸에 나아가 몸에 고유한 본성을 인과의 필연성에 입각하여 이해하면, 그 즉시 몸의 본성은 영원무한의 생명과 사랑입니다.

그런데 정이와 주자 그리고 『상전』(象傳)은 감정분석학과 다른 방식으로 '둔기고'(屯其膏)의 뜻을 설명합니다.

> 이미 덕택이 아랫사람들에게 내려가지 못하는 바가 있으면(정이)
> 베풀 수가 없으니(주자)
> 베풂이 광대하지 못한 것이다(상전)

> _『주역전의 上』
> 성백효 譯註/ 전통문화연구회(2016), 228~229.

그러나 지금 자기의 몸을 지키는 것이 감정의 진실을 이해하며 지키는 유일한 방법입니다. 둔괘(屯卦)의 괘사(卦辭)로부터 구오(九五)에 이르는 모든 효사(爻辭)는 일관되게 감정의 진실을 이해하고 지키는 데에 초점을 둡니다. 이러한 맥락에서 보면 고(膏)는 지금 자기의 몸으로 이해하는 것이 맞습니다. 이로부터 구오의 나머지 효사를 쉽게 이해할 수 있습니다.

小貞吉, 大貞凶.
소정길 대정흉

소정(小貞)과 대정(大貞)의 구분이 있습니다. 고(膏)에 입각하여 이 둘을 이해해야 합니다. 그리고 정(貞)은 자기이해입니다. 자기 몸에 대한 자기이해는 지금 자신의 몸이 기초입니다. 이때의 몸은 지극히 작은 몸입니다. 지금 작은 자기의 몸에 나아가 그 자체의 본성을 이해하는 것이 핵심입니다. 그리고 그 '작음'은 '몸 그 자체'입니다. 공간과 시간의 한계 안에서 감각적으로 지각되는 몸의 술어들을 종합한 결과가 아닙니다. 모든 술어적 종합이 사라진 지금 작은 자기 몸에서 몸 자체에 고유한 본성의 필연성을 인식할 때, 몸에 고유한 본성으로서 영원무한의 생명과 사랑을 이해할 수 있습니다. 이 맥락에서 소정(小貞)과 대정(大貞)을 이해할 수 있습니다.

그러므로 우리는 구오(九五)를 다음과 같이 번역하고 이해할 수 있습니다.

九五: 屯其膏. 小貞吉, 大貞凶.
구오 둔기고 소정길 대정흉

'나'는 몸으로 생겨나 몸으로 살아가기 때문에 지금 자신의 몸[膏]을 영원무한의 생명과 사랑을 향한 믿음 안에서 굳건히 지켜야[屯] 한다. 이것이 행복의 방법이다. 지금 자신의 몸[小]에서 자기 존재의 진실을 이해[貞]할 때 신적 축복[吉]을 누릴 수 있지만, 자기 몸을 꾸며주는 현상을 극대화[大]하고 그것으로 자신을 이해[貞]한다고 하면 결국 불행[凶]에 갇히게 된다.

---

7. 上六: 감정의 자포자기
상 육

결국 우리에게 가장 중요한 것은 감정에 대한 올바른 인식입니다. 행복을 밖에서 구하는 사람은 쉽게 자포자기에 빠집니다. 어느 순간 더 이상 행복을 구하지 않겠다고 합니다. 그러나 시간이 지나면 다시 행복을 밖에서 구하겠다고 합니다. 이후 다시 자포자기에 빠집니다. 이러한 악순환의 반복에 갇히는 근본 이유는 자기 행복에 대한 자기이해가 분명하기 않기 때문입니다.

이것을 상육(上六)은 '승마반여'(乘馬班如)로 이야기합니다. 말을 탔다가(乘馬) 다시 말에서 내려오는 것입니다(班如). 행복을 밖에서 구하겠다고 결심했지만, 다시 그 생각을 하지 않는 것입니다. 그런데 여기에서 끝나면 안 됩니다. 행복의 진실이 무엇인지, 그리고 지금 자신이 얼마나 성스러운 행복 속에 최고의 완전성으로 존재하고 있는지 알아야 합니다. 그렇게 하지 못하면 자포자기의 질곡에 빠지게 됩니다. 이것을 상육(上六)은 '읍혈연여'(泣血漣如)라고 이야기합니다.

上六: 乘馬班如, 泣血漣如.
상 육 승 마 반 여   읍 혈 연 여

감정의 현상에 나아가 그것이 품고 있는 본성을 자기이해 안에서 명석판명하게 이해해야 한다. 그렇지 않고 행복을 밖에서 구하려다 다시 자포자기에 빠지기를 반복하면[乘馬班如], 끝내 반드시 알아야 하는 자기 진실을 이해할 수 없게 된다. 이때 자기 생각의 잘못을 후회하며 통한의 눈물을 흘리면 되겠는가[泣血漣如]?

참고로 둔괘(屯卦)의 육이(六二)와 육사(六四)의 '승마반여'(乘馬班如)를 상육(上六)의 '승마반여'를 비교할 필요가 있습니다. 육이와 육사의 경우는 승마반여에 이어서 '비구혼구(匪寇婚媾)과 구혼구(求婚媾)가 있습니다. 말에 내려와 돌아갈 때, 자기 본래의 진실로 돌아가야 한다는 것을 분명히 합니다. 그러나 상육의 경우 혼구(婚媾)가 없습니다. 말에 내려와 돌아가기는 하는데, 그곳이 자기 본래의 진실이 아니라는 것을 뜻합니다. 이는 사실상 앞에서 언급한 자포자기입니다. 행복을 밖에서 구하려다 이내 포기하고 자포자기에 돌아가는 것입니다. 통한(血)의 눈물(泣)을 흘릴 수밖에 없습니다. 자기 안에 품고 있는 자기 본래의 진실로 자기가 돌아갈 때, 이런 비극을 피할 수 있습니다.

4장. ䷃ 蒙: 매순간 새로운 감정
몽

1. 卦辭: 자기의 자기구원
괘 사

우리는 무한히 새로운 감정으로 살아갑니다. 그렇게 무한히 새로운 감정의 순간이 우리 자신의 존재입니다. 감정분석학은 지금 자신의 존재를 증명하는 자기 감정에 나아가 그 자체에 고유한 본성을 영원의 필연성으로 인식하는 학문입니다. 이 학문이 인간의 행복과 문명의 번영을 위해서 필수적인 이유는 감정을 떠나서 지금 자기 존재를 확인할 방법이 없기 때문입니다.

자기 존재를 영원의 필연성 안에서 최고의 행복과 완전으로 이해하면, 자기는 최고의 행복 속에 있는 거룩하고 성스러운 존재입니다. 이 방식으로 세상 모든 사람 및 자연 전체를 이해하면 자기는 어떠한 삶을 살 수 있을까요? 세상의 모든 사람(자기)이 이와 같은 방식으로 살아간다면, 인간 세상은 어떤 모습일까요? 장엄한 세상은 미래의 목적이 아니라 감정으로 존재하는 우리 인간 및 자연 전체에 내재한 본래의 진실입니다.

'나'라는 존재가 지금 내가 느끼는 감정을 떠나서 별도로 존재하지 않습니다. 매순간 새로운 감정으로 존재하는 '나'가 감정에 고유한 본성의 필연성을 인식하는 것이 중요합니다. '나'의 존재에 '감정'을 두지 않으면 '나'는 공허해지게 됩니다. 매순간 새로운 감정을 몽괘(蒙卦)는 '동몽'(童蒙)이라 부릅니다. 이 감정(童蒙)이 자기 본성에 고유한 필연성을 인식하면 그것이 곧 '나'(我)에 대한 참다운 자기이해입니다. 이상의 논의를 토대로 몽괘(蒙卦)의 괘사(卦辭)가 언급하는 동몽(童蒙)을 보겠습니다.

卦辭: 亨. 匪我求童蒙, 童蒙求我.
괘 사   형   비 아 구 동 몽   동 몽 구 아

'나'라는 존재가 지금 내가 느끼는 '감정'을 떠나서 별도로 존재하지 않는다고 했습니다. 매순간 새롭게 생겨나는 감정이 지금의 '나'입니다. 그래서 '匪我求童蒙'이라 말합니다. 지금 내
비 아 구 동 몽
감정을 떠나서 별도로 나의 존재를 확인할 길이 없습니다. 새롭게 생겨나는 감정이 지금의 '나'이며, '나'는 자기이해를 통해서 자기 본래의 진실을 확인합니다. 그래서 '童蒙求我'라고 말
동 몽 구 아
합니다. 따라서 우리는 몽괘의 괘사를 다음과 같이 번역하고 이해할 수 있습니다.

'나'[龍]는 자기원인으로 살아가는[亨] 성스러운 존재이다. 그런데 나는 매순간 새로운 감정으로 존재한다. 따라서 '나'[龍]의 진실이 매순간 새로운 감정으로 존재하는 '나'[童蒙]에게 진리를 구하는 것이 아니라, 매순간 새로운 감정으로 존재하는 내가[童蒙] '나'[龍]에 고유한 진리를 구한다. (매순간 새로운 감정은[童蒙] 자기이해로 자기 본성[我]을 이해한다.)

이처럼 감정분석학이 추구하는 감정의 자기이해를 주역은 '서'(筮)라고 말합니다. 서(筮)는 신비주의나 미신 같은 것이 아닙니다. 자기가 자기를 이해함으로써 자기의 진실을 명백하게 이해하는 것은 사실상 신의 본성에 속한 성스러운 것입니다. 우리가 신에 고유한 본성을 최고의 완전성과 능동성으로 이해하는 한에서 감정(童蒙)의 자기이해(我)는 그 자체가 자기 아닌 다른 것에 의존함이 없이 자기가 자기 안에서 자기 스스로 자기의 진실을 이해하는 것이므로 자기이해가 곧 신의 본성을 증명합니다.

그런데 종종 자기가 자기이해를 믿지 못하는 이상한 일이 발생합니다. 자기 스스로 자기이해의 명백함을 확인했으면 그 이해가 곧 신의 자기이해와 동일하기 때문에 영원의 필연성으로 믿을 수 있음에도 불구하고 자기가 자기를 믿지 못하는 것입니다. 이 문제를 몽괘(蒙卦)의 괘사(卦辭)는 다음과 같이 말합니다.

初筮告. 再三瀆, 瀆則不告.
초 서 고   재 삼 독   독 즉 불 고

감정으로 존재하는 '나'[童蒙]는 자기이해의 자명으로 '자기'[我] 본래의 진리를 이해한다[初筮告]. 자기이해를 믿지 못해서 두 번 세 번 의심하면[再三瀆] 자기를 믿을 수 없게 된다. 결국 자기이해 안에서 명백하게 이해하는 자기 본래의 진실을 알 수 없다[瀆則不告].

자기 스스로 신적 완전성 그 자체로 자기이해를 형성한 다음에 자기이해를 자기가 의심하면 그 다음부터는 자기답게 살 수 없게 됩니다. 그래서 몽괘의 괘사는 다음과 같은 말로 마무리됩니다.

利貞.
리 정

번역을 다음과 같이 할 수 있습니다.

자기이해[貞]가 자기를 이롭게 한다[利].

결국, 자기가 자기를 구원합니다. 자기 밖에서 신을 찾고 그런 신에게 자신의 행복을 구걸한다면, 그것이 바로 신성모독입니다. 자기가 자기이해를 형성함으로써 자기 감정에 대한 타당한 인식을 형성하는 한에서 그것이 곧 신의 존재와 본성을 증명하는 성스러운 순간입니다. 그런데 이러한 자기이해를 의심한다면, 이것이 신성모독 아닐까요? 결국 자기 감정에 대해서 자기 스스로 이해하며 사는 것이 신에 고유한 본성의 필연성을 따라서 살아가는 장엄한 순간입니다. 이 장엄함을 건괘(乾卦)의 용구(用九)는 다음과 같이 이야기했습니다.

乾卦-用九: 見羣龍无首, 吉.
건 괘 용 구   견 군 룡 무 수 길

지금 '나'의 존재가 영원의 필연성 자체인 乾 안에서 순수지선으로 결정된 것과 같이 자연 전체도 그러하다. 내가 느끼는 '나' 자신의 감정을 비롯해서 내가 경험하는 자연의 모든 감정이 乾의 순수지선을 증명한다[見羣龍]. 이러한 방식으로 세상의 모든 감정을 이해하고 존중할 때[无首], '다 좋은 세상'은 요지부동이다[吉].

매순간 새로운 감정으로 존재하는 우리 자신이 자기 감정에 나아가 그에 고유한 본성의 필연성을 인식하면, 그 순간이 바로 자기이해를 통해서 신의 존재를 증명하는 것입니다. 앞에서 언급한 바와 같이 신의 본성은 최고의 완전성이며 능동성입니다. 이것을 우리가 자기원인으로 정의한다면, 신은 자기원인으로 존재하며 활동합니다. 그런데 이러한 활동을 건괘(乾卦)의 괘사에서 형(亨)으로 정의했습니다.

乾卦-卦辭: 元, 亨, 利, 貞.
건 괘 괘 사   원   형   리   정

자기원인으로 존재[元]하며 자기원인으로 활동[亨]하는 것이 최고의 행복[利]이다. 이 존재는 영원의 필연성으로 자기 안에서 자기 존재와 활동에 대한 개념을 자기 스스로 이해[貞]한다. 나는 이러한 방식으로 존재하는 순수지선을 '乾'으로 이해한다.

이러한 맥락에서 몽괘의 괘사에 대한 우리의 번역이 올바르다면, 몽괘의 괘사에는 당연히 형(亨)이 등장해야 하지 않을까요? 이 물음을 가지고 몽괘의 괘사 전체를 보겠습니다.

卦辭: 亨. 匪我求童蒙, 童蒙求我. 初筮告. 再三瀆, 瀆則不告.
　괘　사　형　　비아구동몽　　　동몽구아　　　초서고　　　재삼독　　독즉불고
利貞.
리정

몽괘의 괘사에 우리에게 직관적으로 들어오는 단어가 있는데, 그것은 바로 '형'(亨)입니다. 그래서 우리는 몽괘의 괘사를 다음과 같이 번역하고 이해할 수 있습니다.

'나'[龍]는 자기원인으로 살아가는[亨] 성스러운 존재이다. 그런데 나는 매순간 새로운 감정으로 존재한다. 따라서 '나'[龍]의 진실이 매순간 새로운 감정으로 존재하는 '나'[童蒙]에게 진리를 구하는 것이 아니라, 매순간 새로운 감정으로 존재하는 내가[童蒙] '나'[龍]에 고유한 진리를 구한다. (매순간 새로운 감정은[童蒙] 자기이해로 자기 본성[我]을 이해한다.) 감정으로 존재하는 '나'[童蒙]는 자기이해의 자명으로 '자기'[我] 본래의 진리를 이해한다[初筮告]. 자기이해를 믿지 못해서 두 번 세 번 의심하면[再三瀆] 자기를 믿을 수 없게 된다. 결국 자기이해 안에서 명백하게 이해하는 자기 본래의 진실을 알 수 없다[瀆則不告]. 자기이해[貞]가 자기를 이롭게 한다[利].

참고로 『상전』(象傳)은 다음과 같이 몽괘의 괘사를 설명합니다.

夢亨은 형통함으로써 행함이니, 때를 얻었고

_『주역전의 上』
성백효 譯註/ 전통문화연구회(2016), 234.

몽괘(蒙卦)의 감정의 진실로부터 감정에 대한 참다운 인식을 확인합니다. 그렇기 때문에 몽(蒙)은 무지몽매가 아니라 감정으로 존재하는 우리 진실을 밝혀 줍니다. 이 진실을 곤괘(坤卦)의 육이(六二)에서 확인했습니다.

坤卦-六二: 直方大. 不習无不利.
곤 괘 육 이 직 방 대 불 습 무 불 리

감정은 오직 '자기 본성의 필연성'[直]을 따라서 무한한 방식으로 무한하게 존재하므로[方] 절대적으로 '순수지선'[大]이다. 그렇기 때문에 우리가 감정을 배우지 않아도[不習] 감정으로 살아가는 세상은 본래부터 '다 좋은 세상'이다[无不利].

'不習无不利'가 몽(蒙)입니다. 배우지 않아도 본래 아는 것
불 습 무 불 리

이라서 배우지 않아도 되는 것입니다. 그렇기 때문에 여기에는 배우지 않겠다는 것이 아니라 배우면 더 좋다는 뜻이 있습니다. 배우지 않아도 본래 아는 것이므로 배워서 본래 아는 것이 무엇인지 확인하고 나면 더 좋기 때문에 배우지 않아도 본래

아는 것을 몽(蒙)이라 합니다. 그래서 몽괘(蒙卦)의 괘사(卦辭)가 '형'(亨)으로 시작합니다. 본래 자기원인으로 존재하며 활동하는 감정이기 때문에 우리가 이 진실을 확고부동하게 지키는 한에서 매순간 새로운 감정은 자기 본성의 필연성으로 자기 본래의 진실을 이해한다는 것입니다. 둔괘(屯卦)가 자기이해의 감정을 지켜야 한다고 했으므로 몽괘(蒙卦)는 학문의 즐거움을 다시 확인하고 있습니다.

屯卦-卦辭: 元, 亨, 利, 貞. 勿用有攸往. 利建侯.
　　　　　　　　

乾坤의 교차로 생겨난 '나'[龍]는 영원의 필연성[乾] 안에서 무한한 방식으로 무한하게 존재하는 감정[坤]을 이해한다. '나'는 자기원인으로 존재[元]하며 자기원인으로 활동[亨]하는 최고의 행복[利]이다. '나'는 이 사실을 나 스스로 이해[貞]한다. '나'를 떠나서 행복을 구하지 않는다[勿用有攸往]. 따라서 자기 스스로 자기이해를 형성하는 자기 정신을 굳건히 지켜야 한다[利建侯].

그러므로 『상전』(象傳)의 '형통함으로써 행함이니(以亨行), 때를 얻었고(時中)'는 감정 본래의 진실입니다. 여기에서 매우 중요한 것은 형(亨)과 시중(時中)입니다. 자기원인으로 존재하는 것이 자기원인으로 활동하는 것 이상의 시중(時中)은 없습니다. 매순간 새롭게 느끼는 감정이 자기원인으로 존재하며 활동하는 것이며, 그러한 한에서 그 모든 감정은 시중(時中)입니다. 이 방식으로 존재하지 않는 감정은 없습니다. 자연의 모든 감정이 이형행(以亨行)이며 그러한 한에서 시중(時中)입니다. 이렇게 감정에 대한 타당한 인식을 매순간 형성하는 것이 몽이양정(蒙以養正)입니다. 『상전』은 이것을 '성인(聖)의 공부(功)'라고 했습니다. 따라서 우리가 감정에 대한 타당한 이해를 형성하는 순간이 우리 자신의 성스러움이며 이 이해가 최고의 학문입니다. 자기 행복은 자기가 구원하는 것입니다.

2. 初六: 감정의 부자유와 질곡
    초 육

배우지 않아도 본래 아는 것이기 때문에 배움으로 본래 아는 것을 다시 확인하는 것이 배움의 즐거움입니다. 이것이 아니면 배움은 모르는 것을 배워서 아는 것이 됩니다. 이런 주장을 대표하는 것이 '경험주의'입니다. 경험을 통해서 모르는 것을 배운다는 것입니다. 그런데 엄격히 말해서 배운다는 것은 경험의 종합이 아니라 경험에 나아가 그에 고유한 본성을 확인하는 것입니다. 이런 방식으로 배우지 않으면 학문은 그저 정보의 종합에 불과하게 됩니다. 이런 방식으로는 절대 배웠다고 말할 수 없습니다.

아주 간단한 예로 연애를 생각해 봅시다. 연애를 경험으로 하는 사람은 엄밀히 말해서 사랑을 모릅니다. 단순히 얼마나 많은 연애를 해봤는지 경험의 총량만 늘려갈 뿐입니다. 그러나 연애 중에 겪은 많은 일들에 대해서 왜 그러한 일을 겪게 되었는지 배우는 사람은 엄격히 말해서 경험을 배우는 것이 아니라 경험에 고유한 본성을 배우는 사람입니다.

우리가 이러한 방식으로 배우면, 경험이 소중합니다. 많이 경험한다는 것은 그만큼 경험에 고유한 본성을 많이 배운다는 것입니다. 그런데 경험의 본성은 우리의 인식에 전혀 상관없이 본래부터 존재하는 것입니다. 그렇기 때문에 구체적인 시간과 공간 속에서 구체적인 경험을 그에 고유한 본성을 배운다는 것은 경험이 아닌 영원의 필연성을 배우는 것입니다. 영원의 필연성은 본래 존재하는 것이며 우리의 인식에 영향을 받지 않습니다. 이 사실을 경험 속에 있는 우리의 정신이 배워서 이해합니다.

이처럼 배운다는 것은 경험을 배우는 것이 아니라 본래 존재하는 것을 다시 배워서 확인하는 것입니다. 이상의 논의를 감정에 적용할 수 있습니다. 우리 자신은 사실상 감정으로 존재합니다. 경험을 배운다는 것은 경험을 통해서 느끼는 감정을 배우는 것입니다. 그런데 경험과 감정은 그 각각에 고유한 본성을 갖습니다. 이미 논한 바와 같이 이 본성을 모르는 것보다는 배워서 아는 것이 보다 더 큰 행복입니다. 그렇기 때문에 행복을 추구하는 욕망의 이성에 근거하여 욕망은 당연히 배움을 자신의 행복으로 추구합니다. 그래서 몽괘(蒙卦)의 초육(初六)은 다음과 같이 말합니다.

初六: 發蒙,
초 육 　 발 몽

　'몽'(蒙)을 '발'(發)하자고 합니다. 이미 우리는 몽(蒙)이 경험을 기다리는 무지몽매(無知蒙昧)가 아님을 확인했습니다. 이러한 맥락에서 '발몽'(發蒙)을 다음과 같이 번역할 수 있습니다.

　감정으로 존재하는 '나'[童蒙]는 자기이해의 자명으로 '자기'[我] 본래의 진리를 이해한다.

　여기에서 가장 중요한 것은 '자기이해의 자명'입니다. 자기 아닌 다른 것 또는 다른 사람에게 의존하지 않는 것입니다. 한편으로 결정되거나 강제되지 않는 것입니다. 물론 자기이해는 자기 아닌 다른 것에 대해서 눈을 감거나 귀를 막는 것이 아닙니다. 중요한 것은 자기 스스로 생각해서 자기 감정에 고유한 본성 또는 자기 경험에 고유한 본성을 영원의 필연성으로 이해하는 것입니다. 이 이해의 방법이 분명할 때 우리는 자기 아닌 다른 것에 나아가 그것에 의해서 결정되는 것이 아니라 그것의 본성을 배워서 동시에 그 안에서 자기의 본성을 이해합니다. 그렇기 때문에 자기이해의 자명에서 가장 중요한 것은 자기이해를 지키는 것이며, 이는 구체적으로 자기 아닌 다른 것에 의존하지 않는 것입니다.

　자기이해의 자명을 지키는 것은 이미 둔괘(屯卦)의 초구

(初九)에서 확인했습니다.

屯卦-初九: 磐桓. 利居貞, 利建侯.
두 패 초구 반 환 리 거 정 리 건 후

'나'[龍]의 진실은 乾坤이 교차하는 영원무한의 생명과 사랑이기 때문에 '나'의 행복은 절대 흔들리지 않는 반석[磐] 위에 굳건[桓]하다. 이 사실은 자기 본성을 자기 스스로 이해하는 '자기이해'가 영원의 필연성으로 확인하는 것이므로, '나'는 반드시 이 이해로 살아가야 하며[利居貞] 이 이해를 지켜야 한다[利建侯].

둔괘(屯卦) 초구(初九)의 '利建侯'를 몽괘의 초구(初九)는
리 건 후
보다 적극적으로 이야기합니다.

利用刑人, 用脫桎梏, 以往吝.
리 용 형 인 용 탈 질 곡 이 왕 린

'利用刑人'에서 형인(刑人)은 사람에게 벌을 주는 것이 아
리 용 형 인
닙니다. 자기 감정에 대한 이해를 형성함에 있어서 자기 아닌 다른 사람(人)에 의존하지 않도록 각별히 조심하는 것입니다. 형(刑)은 극단적으로 죽인다는 뜻이 있는데, 자기 이해에 관한한 절대적으로 자기 아닌 다른 것의 개입을 용납하지 않는 뜻으로 이해해야 합니다. 이렇게 이해하면 질곡(桎梏)에서 벗어날(用脫) 수 있습니다. 그렇기 때문에(以) 자기 아닌 다른 것에 의존하여 자기의 감정을 이해하면 질곡에 갇히는 비극(吝)에

처하게 됩니다. 따라서 우리는 위의 인용을 다음과 같이 번역하고 이해할 수 있습니다.

그렇기 때문에 감정은 자기 본성이 아닌 '다른 것'[人]에 의해서 자기 감정이 결정되었다고 이해하면 안 된다[刑人]. 이로부터 감정은 자기원인으로 존재하는 자유를 누리게 된다[用說桎梏]. 그렇지 않고 외부 원인으로 자기[童蒙]를 이해하면[往] 자기는 자기 아닌 다른 것에 의해서 강제되는 부자유의 질곡에 갇히게 된다[吝].

그러나 정이는 『역전』에서 감정분석학과는 본질적으로 다른 주장을 전개합니다.

下民의 몽매함을 개발함에는 마땅히 刑罰과 禁令을 밝혀 보여 주어서 그들로 하여금 두려워할 줄을 알게 한 뒤에 따라서 가르치고 인도하여야 한다.

_『주역전의 上』
성백효 譯註/ 전통문화연구회(2016), 237.

이와 다른 관점에서 우리는 『상전』(象傳)을 바라볼 수 있습니다. '利用刑人'을 '以正法也'라고 설명합니다. 정법(政法)에 대한 해석이 중요한데, 감정분석학은 '정법'을 감정의 자기이해로 확인합니다. 이 방법 이외 감정에 대한 타당한 인식을 형성할 수 있는 방법이 없기 때문입니다. 이러한 측면에서 보면 형인(刑人)은 사람을 벌주기보다는 자기 스스로 자기 감정에 대한 잘못된 이해를 형성하는 것입니다.

　감정에 대한 올바른 인식을 결여할 때 사람은 질곡에 갇히게 됩니다. 자기 행복을 자기 아닌 다른 것에 맡기는 것입니다. 자기는 이미 최고의 완전성 안에서 최고의 행복 속에 존재함에도 불구하고 매순간 느끼는 감정에 나아가 이 사실을 확인하지 못하면 행복을 밖에서 구걸하게 됩니다. 이것이 질곡입니다. 이 질곡으로부터 자유로워지는 방법은 자기 감정에 대한 자기이해 이외 없습니다. 이 자유가 '用脫桎梏'이라면, '利用刑人'을 피상적으로 사람에게 벌을 주는 것으로 번역할 수 없습니다. 자기이해를 지키기 위해서 자기 아닌 다른 것에 의존하지 않는 것으로 번역하는 것이 타당합니다. 이 사실은 이어지는 구이(九二)에서 확인할 수 있습니다.

3. 九二: 감정의 자기 배려

　초육(初六)에서 '감정으로 존재하는 '나'[童蒙]는 자기이해의 자명으로 '자기'[我] 본래의 진리를 이해한다.'라고 했습니다. 발몽(發蒙)의 뜻입니다. 이 방법으로 자기 존재를 이해하는 감정은 절대 자기를 이해함에서 있어서 수준이나 경지 등과 같은 말을 하지 않습니다. 매순간 새롭게 생겨나는 자기의 존재 그대로 자기의 성스러움을 이해합니다. 이 이해가 '포몽'(包蒙)입니다. 이 이상의 행복은 없습니다. 그래서 구이(九二)는 다음과 같이 말합니다.

九二: 包蒙, 吉.
구이 포몽 길

감정으로 존재하는 '나'[童蒙]는 자기이해 안에서[包] 자기 존재의 성스러움[吉]을 이해한다.

이러한 감정의 자기이해를 주역(周易)은 신부와 신랑의 사랑 또는 혼인으로 설명합니다. 이 주제는 이미 둔괘(屯卦)의 육사(六四)에서 확인했습니다.

屯卦-六四: 乘馬班如, 求婚媾. 往吉, 无不利.
둔괘 육사 승마반여 구혼구 왕길 무불리

자기 행복에 대한 잘못된 생각에서 내려와[乘馬班如] 자기 스스로 자기 안에 본래부터 존재하는 영원무한의 생명와 사랑을 이해해야[求婚媾] 한다. 그렇게 함으로써 오직 자기이해만을 따라서 살아갈 때[往], '나'는 최상의 행복을 누리는 축복을 받는다[吉]. '나'는 '다 좋은 세상'을 배우는 즐거움으로 살아갈 수 있다[无不利].

몽괘(蒙卦)의 구이(九二)도 같은 방식으로 포몽(包蒙)을 이해합니다.

納婦, 吉.

여기의 납부(納婦)와 둔괘(屯卦)의 '求婚媾'는 본질적으로 같습니다. 그래서 이에 대한 번역은 다음과 같습니다.

감정이 자기 진실과 마주하는 '감정의 자기이해'는 마치 신랑이 신부를 맞이하는[納婦] 행복[吉]과 같다.

이렇게 감정을 이해하면, 그것은 곧 신부가 자식을 잉태하고 낳는 것과 같다고 하였습니다. 이 논의를 둔괘(屯卦)의 육이(六二)에서 확인했습니다.

屯卦-六二: 屯如, 邅如. 乘馬班如, 匪寇婚媾. 女子貞, 不字十年 乃字.

자기를 지키며[屯] 자기로 돌아와야 한다[邅]. 자신의 겉모습이 너무 싫을 때, 그런 자신을 향한 다른 이들의 말 때문에 너무 괴로울 때, 자기는 자살이나 살인 등으로 자신의 현상을 벗어나려 한다[乘馬]. 그러나 이렇게 감정이 요동치는 순간, 자기는 자기 본래의 진실로 돌아와야 한다[班如]. 자기의 겉모습은 행복을 빼앗은 것[匪寇]이 아니라 최고의 아름다움을 품고 있는 성스러운 것이다[婚媾]. 지금 자신의 현상을 떠나지 않고[匪媾], 마치 신부[女子]가 사랑하는 신랑을 향해 나아가는 것처럼 자기 현상에 나아가[婚媾] 그에 고유한 영원의 필연성을 인식해야 한다[貞]. 이렇게 자신을 배우면, 지금 당장은 초라해 보이는 자기 겉모습에 대해서 할 말이 없지만[不字], 배움의 시간이 쌓이면[十年] 반드시 자기 존재가 얼마나 성스러운지 자신 있게 말할 수 있게 된다[字].

위와 같은 맥락에서 몽괘(蒙卦)의 구이(九二)도 다음과 같이 말합니다.

子克家.
자 극 가

부부의 사랑으로 태어난 자식은 사실상 감정분석학에 의하면 감정 자신에게 고유한 본성의 필연성입니다. 이 인식이 분명할 때, 감정은 자신의 행복뿐만 아니라 세상의 행복을 지킬 수 있습니다. 마치 자식이 가족의 행복을 지키는 것과 같습니다. 그래서 이에 대한 번역을 다음과 같이 할 수 있습니다.

이러한 방식으로 감정의 진실을 이해할 때, '나'[童蒙:子]는 가족[家]의 행복을 지킬 수 있다[克].

그러므로 우리는 몽괘(蒙卦)의 구이(九二)를 최종적으로 다음과 같이 번역하고 이해할 수 있습니다.

九二: 包蒙, 吉. 納婦, 吉. 子克家.
구 이   포 몽   길   납 부   길   자 극 가

감정으로 존재하는 '나'[童蒙]는 자기이해 안에서[包] 자기 존재

의 성스러움[吉]을 이해한다. 감정이 자기 진실과 마주하는 '감정의 자기이해'는 마치 신랑이 신부를 맞이하는[納婦] 행복[吉]과 같다. 이러한 방식으로 감정의 진실을 이해할 때, '나'[童蒙:子]는 가족[家]의 행복을 지킬 수 있다[克].

4. 六三: 결핍증에 빠진 감정
육삼

주역(周易)의 감정분석학에서 여성이나 혼인은 엄밀히 말해서 우리 자신의 몸으로 하는 일이 아닙니다. 여성의 성(性)을 대표하는 것은 '엄마'입니다. 신부와 신랑의 혼인에서 신부는 엄마이며 신랑은 아빠입니다. 신부는 우리 자신의 일이기 이전에 본질적으로 우리의 몸을 낳은 엄마아빠의 이야기입니다. 그렇기 때문에 감정에 대한 타당한 인식을 설명하는 것으로서 여성이나 신부는 우리에게 목적으로 주어진 것이 아닙니다. 우리 몸에 고유한 본성입니다. 이 사실을 이미 우리는 곤괘(坤卦)에서 확인했습니다. 괘사(卦辭)를 보겠습니다.

坤卦-卦辭: 元, 亨, 利, 牝馬之貞.
곤 괘 괘 사 원 형 리 빈 마 지 정

자기원인으로 존재[元]하며 자기원인으로 활동[亨]하는 것이 최고의 행복[利]이다. 이 존재로부터 자연의 모든 감정이 생겨나며[牝

馬], 동시에 이 존재는 자기가 산출하는 모든 감정에 대한 이해를 자기 안에 본래부터 가지고 있다[貞].

둔괘(屯卦)의 육이(六二)에서도 확인할 수 있습니다.

屯卦-六二: 屯如, 邅如. 乘馬班如, 匪寇婚媾. 女子貞, 不字十年
둔 괘 육 이   둔 여   전 여   승 마 반 여   비 구 혼 구   여 자 정   불 자 십 년
乃字.
내 자

자기를 지키며[屯] 자기로 돌아와야 한다[邅]. 자신의 겉모습이 너무 싫을 때, 그런 자신을 향한 다른 이들의 말 때문에 너무 괴로울 때, 자기는 자살이나 살인 등으로 자신의 현상을 벗어나려 한다[乘馬]. 그러나 이렇게 감정이 요동치는 순간, 자기는 자기 본래의 진실로 돌아와야 한다[班如]. 자기의 겉모습은 행복을 빼앗는 것[匪寇]이 아니라 최고의 아름다움을 품고 있는 성스러운 것이다[婚媾]. 지금 자신의 현상을 떠나지 않고[匪媾], 마치 신부[女子]가 사랑하는 신랑을 향해 나아가는 것처럼 자기 현상에 나아가[婚媾] 그에 고유한 영원의 필연성을 인식해야 한다[貞]. 이렇게 자신을 배우면, 지금 당장은 초라해 보이는 자기 겉모습에 대해서 할 말이 없지만[不字], 배움의 시간이 쌓이면[十年] 반드시 자기 존재가 얼마나 성스러운지 자신 있게 말할 수 있게 된다[字].

'牝馬之貞'과 '女子貞'은 감정의 자기이해이며, 이것은 여성
 빈마지정   여자정
성(性)에 고유한 인식입니다. 자기 아닌 다른 것에 의존하지 않고 자기가 자기 안에서 자기이해를 형성하는 것입니다. 이

이해가 감정의 본성으로 존재하기 때문에 감정은 자기의 정신을 떠나서 이 인식을 구해서는 안 됩니다. 이 사실을 몽괘(蒙卦)의 육삼(六三)은 다음과 같이 확인합니다.

六三: 勿用取女.
육삼 물용취녀

여(女)는 여성 성(性)이며, 이것은 밖에서 구하는 것이 아닙니다. 그래서 번역을 다음과 같이 할 수 있습니다.

감정으로 존재하는 '나'[童蒙]는 행복을 밖에서 구해서는 안 된다[勿用取女].

이 인식이 분명하지 않으면 그 즉시 자기는 자기 행복에 대해서 심각한 결핍증에 시달리게 됩니다. 자기 행복을 밖에서 구한다는 것은 실질적으로 황금의 축적이나 종합으로 자신의 행복을 입증할 수 있다는 거대한 착각의 비극입니다. 이 비극은 이미 둔괘(屯卦)의 육삼(六三)에서 확인했습니다.

屯卦-六三: 卽鹿无虞, 惟入于林中. 君子幾, 不如舍, 往吝.
둔괘 육삼 즉록무우 유입우림중 군자기 불여사 왕린

지금 자기의 감정을 떠나 미래의 환상에서 자기 행복을 구하려고 하면[卽鹿], 헛된 것을 쫓는 것이므로 참다운 행복으로 인도하는 감정분석학[周易]을 잃어버린다[无虞]. 이는 마치 깊은 숲에서 길을 잃는 것과 같다. 자기 행복을 배우는 사람[君子]은 행복과 불행을 결정하는 생각의 순간[幾]을 이해함으로써 행복에 대한 오해를 물리쳐야 한다[不如舍]. 그렇지 않고 잘못된 생각의 길로 가면[往] 불행에 빠진다[吝].

이 비극을 몽괘(蒙卦)의 육삼(六三)도 다음과 같이 이야기합니다.

見金夫, 不有躬. 无攸利.
견금부　불유궁　무유리

자신의 행복이 황금(돈)에 있다고 생각하면[見金夫], 감정은 자기 몸[躬]이 품고 있는 생명과 사랑의 영원무한을 알 수 없다. 결국 감정은 지금 자신과 자기 생명의 성스러움을 이해할 수 없게 된다[无攸利].

지금 자신의 존재를 증명하는 감정에서 자기 본래의 행복을 확인하지 못하면 행복을 밖에서 구하게 됩니다. 이것은 구체적으로 좋은 집이나 차 또는 황금 같은 것을 모으고 그것의 총량에 비례해서 자신의 행복이 결정된다는 거대한 착각입니다. 이 모든 비극의 원인은 어디에 있을까요? '勿用取女'에 있습니다. 감정으로 존재하는 자기가 자기 감정에 나아가 그에 고유한 본성의 필연성을 인식하면, 즉 '牝馬之貞'과 '女子貞'이면 자기 본래의 행복을 자기 스스로 이해합니다. 그러나 이 사실을 모르고 행복을 밖에서 구하는 '取女'로 자신의 감정을 이해하게 되면 이것이 바로 '형인(刑人)을 어기는 것입니다. 질곡 (桎梏)에 빠지는 것은 당연합니다. 그렇기 때문에 문제 해결의 방법도 간단합니다. 감정으로 존재하는 자기가 자기 안에서 자기 감정의 자기이해를 형성하는 것입니다.

그러므로 우리는 몽괘(蒙卦)의 육삼(六三)을 다음과 같이 번역하고 이해할 수 있습니다.

六三: 勿用取女. 見金夫, 不有躬. 无攸利.
육 삼   물 용 취 녀   견 금 부   불 유 궁   무 유 리

감정으로 존재하는 '나'[童蒙]는 행복을 밖에서 구해서는 안 된다 [勿用取女]. 자신의 행복이 황금(돈)에 있다고 생각하면[見金夫], 감정은 자기 몸[躬]이 품고 있는 생명과 사랑의 영원무한을 알 수 없다. 결국 감정은 지금 자신과 자기 생명의 성스러움을 이해할 수 없게 된다[无攸利].

5. 六四: 감정 인식의 오류
육 사

결핍증에 빠진 감정을 육사(六四)는 '곤몽'(困蒙)이라 부릅니다. 이것을 곤괘(坤卦)의 육사(六四)는 '괄낭'(括囊)으로 설명했습니다.

困卦-六四: 括囊, 无咎无譽.
곤 괘 육 사 괄 낭 무 구 무 예

감정분석학[周易]은 감정의 무한한 현상에 나아가 감정의 본성[乾]을 이해하는 학문이다. 이 이해를 통해서 모든 감정의 순수지선을 이해한다. 따라서 자기 감정을 억제와 조절의 대상으로 취급하는 것은[括囊] 어느 정도 효과를 낼 수 있으나[无咎], 자기 감정의 순수지선으로 확인하는 자기 존재의 성스러움은 알 수 없다[无譽].

감정이 결핍증에 시달리고 있을 때, 우리는 감정에 대한 인식의 오류를 파악하기 보다는 의지력 등과 같은 것으로 감정이 그러한 증세로부터 벗어나거나 완화될 수 있다고 말합니다. 그러나 그런 방식으로 감정을 다룰 때 일정 효과를 볼 수 있지만, 결국 그러한 모든 시도는 실패합니다. 왜냐하면 감정의 결핍증은 감정 스스로 자기 본성의 진실을 배우지 않음으로써 발생한 비극이기 때문입니다. 자기이해만이 유일한 해결 방법입니다. 그러므로 우리는 육사(六四)를 다음과 같이 번역하고 이해할 수 있습니다.

六四: 困蒙, 吝.
육 사 곤 몽 린

매순간 무한히 새로운 감정으로 존재하는 '나'는[童蒙] 감정 그 자체의 본성으로 '나' 자신을 이해해야 한다. 그렇지 않으면, 외부 원인에 의존하여 '나' 자신을 잘못 이해하는 질곡에 갇히게 된다[困蒙]. 그 결과 '나'는 마땅히 누려야 할 최고의 행복을 누릴 수 없게 된다[吝].

6. 六五_{육 오}: 감정 인식의 오류

감정분석학이 일관되게 주장하는 것은 감정 그 자체의 진실입니다. 이것은 감정에 대한 인식 또는 감정의 자기이해와 전혀 상관없이 영원불변입니다. 이 사실을 이미 괘사(卦辭)에서 확인했습니다.

卦辭_{괘 사}: 亨_형. 匪我求童蒙_{비아구동몽}, 童蒙求我_{동몽구아}. 初筮告_{초서고}. 再三瀆_{재삼독}, 瀆則不告_{독즉불고}. 利貞_{리정}.

'나'[龍]는 자기원인으로 살아가는[亨] 성스러운 존재이다. 그런데 나는 매순간 새로운 감정으로 존재한다. 따라서 '나'[龍]의 진실이 매순간 새로운 감정으로 존재하는 '나'[童蒙]에게 진리를 구하는 것이 아니라, 매순간 새로운 감정으로 존재하는 내가[童蒙] '나'[龍]에 고유한 진리를 구한다. (매순간 새로운 감정은[童蒙] 자기이해로 자기 본성[我]을 이해한다.) 감정으로 존재하는 '나'[童蒙]는 자기이해의 자명으로 '자기'[我] 본래의 진리를 이해한다[初筮告]. 자기이해를 믿지 못해서 두 번 세 번 의심하면[再三瀆] 자기를 믿을 수 없게 된다. 결국 자기이해 안에서 명백하게 이해하는 자기 본래의 진실을 알 수 없다[瀆則不告]. 자기이해[貞]가 자기를 이롭게 한다[利].

여기에서 매우 중요한 것은 "'나'[龍]는 자기원인으로 살아가는 [亨] 성스러운 존재이다."라는 사실입니다. 이 사실이 '몽'(蒙)입니다. 이 사실로부터 육오(六五)가 주장하는 결론은 필연적입니다.

六五: 童蒙, 吉.
육 오   동몽   길

　　감정의 자기이해 안에서 감정의 순수지선을 이해하는 '나'는[童
蒙] 감정과 행복에 대한 잘못된 이해를 뉘우침으로써 최고의 완전성
과 최고의 아름다움으로 존재하는 '나'[我] 자신을 만난다[吉].

　　몽(蒙)은 본래부터 최고의 행복(吉)입니다. 그럼에도 불구
하고 동몽(童蒙)을 길하다하고 말한 이유는 구이(九二)의 포몽
(包蒙)에 있습니다.

九二: 包蒙, 吉. 納婦, 吉. 子克家.
구 이   포몽   길   납부   길   자극가

　　감정으로 존재하는 '나'[童蒙]는 자기이해 안에서[包] 자기 존재
의 성스러움[吉]을 이해한다. 감정이 자기 진실과 마주하는 '감정의
자기이해'는 마치 신랑이 신부를 맞이하는[納婦] 행복[吉]과 같다. 이
러한 방식으로 감정의 진실을 이해할 때, '나'[童蒙:子]는 가족[家]의
행복을 지킬 수 있다[克].

　　이것은 이미 건괘(乾卦)의 상구(上九)에서 이미 다루었습
니다.

乾卦-上九: 亢龍有悔.
건 괘   상구   항룡유회

　　'감정분석학'[周易]을 배움으로써 감정 안에서 절대 자유와 절대
행복을 누리는 성스러운 '나'[亢龍]는 영원의 필연성을 향한 믿음 안
에서 무한한 방식으로 무한히 새로운 자신의 감정 및 자연 전체의

감정을 영원의 필연성으로 배워서 이해한다. 그렇기 때문에 '나'는 감정에 대한 인식의 오류를 범하지 않는 것이 아니라 인식의 오류를 뉘우친다[有悔].

우리가 이러한 방식으로 감정을 이해할 때 그 공효가 무엇인지 건괘는 다음과 같이 확인합니다.

乾卦-用九: 見羣龍无首, 吉.

지금 '나'의 존재가 영원의 필연성 자체인 乾 안에서 순수지선으로 결정된 것과 같이 자연 전체도 그러하다. 내가 느끼는 '나' 자신의 감정을 비롯해서 내가 경험하는 자연의 모든 감정이 乾의 순수지선을 증명한다[見羣龍]. 이러한 방식으로 세상의 모든 감정을 이해하고 존중할 때[无首], '다 좋은 세상'은 요지부동이다[吉].

그러므로 '童蒙, 吉.'은 지극히 당연한 결론입니다.

7. 上九: 감정의 자기구원

육오(六五)에서는 '童蒙, 吉.'라고 말했는데 여기에서는 갑자기 '격몽'(擊蒙)이 등장합니다. 이에 대한 일반적인 번역은

'몽매함을 쳐야 한다.'입니다. 그러나 감정분석학은 격(擊)을 몽괘(蒙卦)의 괘사(卦辭)에 근거하여 다른 시각으로 이해할 필요가 있다고 주장합니다. 우선 몽괘의 괘사를 보겠습니다.

卦辭: 亨. 匪我求童蒙, 童蒙求我. 初筮告. 再三瀆, 瀆則不告.
괘사 형 비아구동몽 동몽구아 초서고 재삼독 독즉불고
利貞.
리정

'나'[龍]는 자기원인으로 살아가는[亨] 성스러운 존재이다. 그런데 나는 매순간 새로운 감정으로 존재한다. 따라서 '나'[龍]의 진실이 매순간 새로운 감정으로 존재하는 '나'[童蒙]에게 진리를 구하는 것이 아니라, 매순간 새로운 감정으로 존재하는 내가[童蒙] '나'[龍]에 고유한 진리를 구한다. (매순간 새로운 감정은[童蒙] 자기이해로 자기 본성[我]을 이해한다.) 감정으로 존재하는 '나'[童蒙]는 자기이해의 자명으로 '자기'[我] 본래의 진리를 이해한다[初筮告]. 자기이해를 믿지 못해서 두 번 세 번 의심하면[再三瀆] 자기를 믿을 수 없게 된다. 결국 자기이해 안에서 명백하게 이해하는 자기 본래의 진실을 알 수 없다[瀆則不告]. 자기이해[貞]가 자기를 이롭게 한다[利].

여기에서 핵심은 '童蒙求我'와 '利貞'입니다. 동몽(童蒙)은
                    동몽구아   리정
감정의 진실로서 배우지 않아도 자기 안에 자기 본래의 진리를 품고 있는 성스러운 존재입니다. 그러나 동몽(童蒙)으로 끝나지 않습니다. 동몽은 반드시 '구아'(求我)를 해야 합니다. 감정이 '나' 자신이며, 감정(童蒙)은 자기 안에서 자기 스스로 자기 본성의 필연성(我)을 이해해야 합니다. '나' 자신이 진실로

'나'를 만나는 성스러운 순간입니다. 이 이해가 '利貞'입니다. 이
이해는 종종 신부와 신랑의 혼인에 비유된다고 했습니다. 왜냐
하면 사랑 안에서 생명이 잉태되고 태어나는 것과 감정이 자
기를 사랑함으로써 자기의 진실을 배워서 본래의 자기답게 살
아가는 것은 본질에 관하여 서로 일치하기 때문입니다. 지금
우리가 검토하는 몽괘(蒙卦)의 구이(九二)가 이미 확인했습니
다.

九二: 包蒙, 吉. 納婦, 吉. 子克家.
구 이　포 몽　길　납 부　길　자 극 가

감정으로 존재하는 '나'[童蒙]는 자기이해 안에서[包] 자기 존재
의 성스러움[吉]을 이해한다. 감정이 자기 진실과 마주하는 '감정의
자기이해'는 마치 신랑이 신부를 맞이하는[納婦] 행복[吉]과 같다. 이
러한 방식으로 감정의 진실을 이해할 때, '나'[童蒙:子]는 가족[家]의
행복을 지킬 수 있다[克].

이러한 맥락에서 우리의 행복을 빼앗는 것은 감정에 대한
잘못된 이해입니다. 이것을 막아야 합니다. 그 방법은 지금 현
재 감정으로 존재하는 것이 자신을 감각적 현상으로 해석하지
않고 자기 본성에 고유한 본성을 명백하게 이해하는 것입니다.
이 이해를 『상전』(象傳)은 '상하순'(上下順)으로 설명합니다. 이
때의 상하(上下)를 '형이상'(形而上)과 '형이하'(形而下)으로 이
해하지 못할 이유가 없습니다. 지금 존재하는 감정(형이하)에
고유한 본성(형이상)의 필연성으로 이해할 수 있습니다. 물론

정이는 『역전』(易傳)에서 다른 방식으로 이해합니다.

> 위가 지나치게 포악하지 않고 아래가 몽매함을 쳐서 제거함
>
> _『주역전의 上』
>
> 성백효 譯註/ 전통문화연구회(2016), 246.

감정에 고유한 본성의 필연성을 인식하는 것이 감정의 행복을 빼앗는 것으로부터 감정을 보호하는 유일한 방법입니다. 이 경우 격몽(擊蒙)은 감정에 대한 올바른 인식을 확립하는 것이며, 이 인식은 감정의 본래 행복을 빼앗는 인식의 오류로부터 감정을 지켜줍니다. 감정의 행복을 빼앗는 인식의 오류를 우리가 도둑을 뜻하는 구(寇)로 이해할 수 있다면, 당연히 감정의 행복을 위해서 가장 먼저 해야 할 것은 감정에 대한 타당한 인식을 형성하는 것입니다. 감정에 대한 타당하지 못한 인식을 막는 것입니다. 이러한 측면에서 정이의 설명은 억지에 가깝습니다.

그러므로 우리는 몽괘(蒙卦)의 상구(上九)를 다음과 같이 번역하고 이해할 수 있습니다.

上九: 擊蒙, 不利爲寇, 利禦寇.
상구 격몽 불리위구 리어구

감정으로 존재하는 '나'는[童蒙] 자신의 현상에 머물 것이 아니라 [擊蒙], 자기 현상이 본래부터 품고 있는 자기 진실로서 영원무한의 생명과 사랑을 이해해야 한다. 그렇기 때문에 자기 생명과 사랑을 밖

에서 구하면 안 된다[不利爲寇]. 자기 생명과 사랑을 밖에서 구하려
는 생각을 막아야 한다[利禦寇].

5장. ䷄ 需: 믿음의 감정분석학
_수

1. 卦辭: 믿음의 학문
_{괘 사}

'나'는 영원의 필연성으로 무한하게 순수지선이다.

이 문장은 몸으로 생겨나서 몸으로 살아가는 지금 '나'의 진실입니다. 이 진실을 이해하는 것이 주역의 '감정분석학'입니다. 지금 '나'는 존재 그 자체로 영원무한의 생명과 사랑의 축복을 받은 성스러운 '나'입니다. 그렇기 때문에 지금 '나'의 감정 또한 영원의 필연성 그 자체로 생명과 사랑의 축복을 받은 성스러운 '감정'입니다. 주역의 시작과 끝은 이 사실 확인하는 것이 전부입니다. 주역은 신비스러운 책이 아닙니다. 알 수 없는 미래에 어떤 좋은 것을 획득할 수 있을지 예상하는 것이 절대 아닙니다. 오직 순수지선만이 진실로 존재하며, 그렇기 때문에 순수지선으로 존재하는 것이 자신의 순수지선을 자기 스스로 명백하게 이해하는 학문이 주역의 '감정분석학'입니다.

위와 같이 말하면 거대한 비난과 극도의 거부감을 느끼는 분이 의외로 많습니다. 인간과 세상을 아직 모른다는 잔소리를 듣게 될 수 있습니다. 세상 경험이 많이 부족하다는 핀잔을 받을 수 있습니다. 그러나 "'나'는 **영원의 필연성으로 무한하게 순수지선이다.**"라는 말은 경험에 근거해서 나오는 것이 아닙니다. 우리의 경험에 근거하여 생각하면, 절대 이 말을 이해할 수 없거니와 믿을 수도 없습니다. 오히려 경험의 총량이 크면 클수록 이 말을 용납하기 어렵게 됩니다. 그러면 '나의 순수지선'은 뜬구름 같은 허망한 소리에 불과한 것일까요? 우리는 공간과 시간을 살아갑니다. 수많은 경험을 겪으며 산다는 뜻입니다. 우리의 경험으로 도무지 이해되지 않는 이 명제가 무슨 중요성을 지금 우리에게 갖는 것이냐고 반문할 수 있습니다.

이 지점에서 우리는 '경험'이 무엇인지 진지하게 생각해야 합니다. 경험은 우리 몸을 떠나지 않습니다. 몸으로 살아가는 우리의 현실이 경험입니다. 그런데 몸으로 살아간다는 것은 몸의 순간 변화인 감정을 무한한 방식으로 무한하게 느끼며 그에 대한 개념을 지각한다는 것을 뜻합니다. 그렇다면 엄격히 말해서 경험은 자기가 느끼는 감정에 대한 자기의 개념형성입니다. 이처럼 자기 스스로 형성한 자기의 감정에 입각하여 감정대로 살아가는 것이 경험이며, 감정의 무한성에 비례하여 우리는 그에 대한 경험을 무한하게 경험합니다. 그리고 그것은 다시 우리 자신의 감정입니다.

경험은 감정을 느끼며 감정으로 살아가는 것입니다. 우리가 이렇게 경험을 이해하는 한에서 경험의 진실은 감정의 진실 안에 있습니다. 그런데 감정과학에 의하면 감정은 몸에 고유한 본성 그 자체의 필연성 안에 있습니다. 따라서 감정의 진실은 몸에 고유한 본성의 진실에서 연역되며, 이 진실은 결국 경험에 대한 올바른 인식으로 수렴됩니다. 경험에 대한 올바른 인식은 경험의 현상을 해석하는 것이 아닙니다. 경험은 결국 감정을 느끼며 감정으로 살아가는 것이기 때문에 경험의 진실은 몸에 고유한 진실 안에 있습니다.

우리의 논의가 이 지점에 이르면 결국 몸의 생김에 고유한 진실을 이해함으로써 몸으로 살아가는 우리가 몸으로 느끼는 감정의 진실을 이해할 수 있다는 결론이 나옵니다. 그런데 몸의 생김은 엄격히 말해서 몸으로 살아가는 중에 느끼는 몸의 순간 변화로서 감정에 앞서는 것입니다. 우리가 이렇게 선후의 논리를 분명히 이해하면, 몸의 생김에 대한 올바른 인식은 그 자체에 고유한 본성을 인식하는 것입니다. 즉, 몸의 생김 이후 경험하게 되는 몸의 순간 변화로서 감정의 현상으로 몸의 생김을 이해해서는 안 된다는 뜻입니다. 몸의 생김은 몸의 변화에 앞서기 때문에 몸의 생김을 그 자체의 본성으로 이해해야 한다는 뜻입니다.

이제 또 다른 질문이 제기됩니다. 우리의 경험 안에 있지 않은 몸의 생김을 어떻게 이해할 수 있겠냐는 것입니다. 결국 경험에 대한 올바른 인식은 감정에 대한 올바른 인식이며, 감정에 대한 올바른 인식은 몸의 생김에 대한 인식입니다. 이 인식이 분명할 때, 감정 또는 경험에 대한 올바른 인식 분명하게 정립됩니다. 그런데 '경험할 수 없는' 또는 '경험에 앞선' 몸의 생김을 우리가 어떻게 이해할 수 있겠냐는 질문이 제기되는 것입니다. 이 물음에 대한 답이 인간 정신에 고유한 '사유'(思)입니다. 인간의 정신은 스스로 생각함으로써 스스로 이해를 형성하는 능력을 본래부터 가지고 있습니다. 이 능력 안에서 인간의 정신은 자기 사유를 통해서 자기 스스로 이해를 형성한 것을 믿습니다.

우리 모두는 자신을 '나'라고 부릅니다. 자기 스스로 자신을 '나'라고 부를 때, 자기 스스로 자신을 '나'라고 이해합니다. 이 이해를 형성할 때, 그 누구도 자기 아닌 다른 것에 의존하지 않습니다. 철두철미 자기 안에서 자기 스스로 자기 존재에 대한 관념을 형성하며 자기 스스로 자기 존재의 관념에 대해서 이해합니다. 한편, 원인과 결과의 필연성에 대한 인식 또한 인간 정신에 고유한 능력입니다. 인과의 필연성은 우리가 배워서 이해하는 것이지만, 그에 대한 이해를 형성함으로써 인과의 필연성을 확인하는 것은 우리 자신의 자기이해가 아니면 불가능합니다. 이 이해를 형성하는 능력이 우리 정신 안에 본질로 존재하기 때문에 이 이해는 경험에 의존하거나 경험에서 생성되는 것이 아닙니다.

'나'라는 개념은 자기 안에서 자기 스스로 형성하는 것입니다. '나'를 경험한 다음에 '나'에 대한 개념을 '나' 스스로 형성하지 않습니다. 감정도 마찬가지입니다. 내가 느끼는 감정을 경험한 다음에 '나'의 감정에 대한 개념을 형성하지 않습니다.

감정에 대한 개념은 '나' 안에서 '나' 스스로 형성하는 것입니다. 몸의 순간 변화를 감정과학은 '감정'으로 정의합니다. 몸의 순간 변화로서 감정이 발생할 때, 그와 동일한 논리적 필연성으로 마음은 자기 몸의 순간 변화인 감정에 대한 개념을 자기스스로 자기가 형성합니다. 그러한 한에서 엄격히 말해서 감정을 경험한 다음에 감정에 대한 개념을 형성하는 것이 아니라자기 스스로 자기 안에서 형성하는 감정 개념이 곧 '자기 존재'입니다.

자기 스스로 자기 존재에 대한 관념을 형성하든, 자신의 감정에 입각하여 자기 존재의 관념을 형성하든, 결국 자기 존재에 대한 개념은 자기 안에서 자기 스스로 형성합니다. 경험에 의존하지 않습니다. 자기가 형성한 자기 존재의 관념에 대해서 자기 스스로 다시 생각해 봅시다. 앞에서 언급한 원인과결과의 필연성에 근거하면, 자기 존재를 자기 스스로 결정하지않았다는 사실 또한 자기 안에서 명백합니다. 오히려 이 사실은 경험으로부터 분명합니다. 자기 존재를 자기가 결정하지 않았다는 사실은 자신의 경험에서 확실합니다.

이때 등장하는 것이 엄마아빠의 존재입니다. 엄마아빠의 존재가 지금 '나'의 존재를 결정하고 생성함에 있어서 분명하다는 사실을 경험에서 확인하게 됩니다. 그런데 다시 경험으로 생각해 보면, 지금 '나'의 존재의 결정한 것으로 제시된 엄마아빠의 존재가 과연 '나'의 존재를 결정한 것인지 우리 자신은 경험할 수 없습니다. 이때 경험할 수 없다는 것을 근거로 엄마아빠의 존재를 부정할 수 있을까요? 우리가 이 부정을 인정한 다고 해도, 지금 '나'의 존재는 경험과 무관하게 '나' 자신 안에서 명백한 사실이며 동시에 '나'의 존재를 '나' 자신이 결정하지 않았다는 사실 또한 경험과 무관하게 '나' 자신에게 명백한 사실입니다.

'나'의 존재는 분명한데, '나'의 존재를 내가 결정하지 않았다는 사실 또한 분명합니다. 이 지점에서 '나'는 경험에 전혀 상관없이 '나'의 존재를 결정한 원인이 영원의 필연성으로 존재해야 한다는 결론을 명백하게 이해하게 됩니다. '나'의 존재를 결정한 원인을 '엄마아빠'라고 부를 수 있다면, 방금 우리는 이 존재에 대한 개념을 경험에 의존함이 없이 우리 안에서 우리 스스로 분명하게 이해한 것입니다. 이 이해가 진정한 '믿음' 입니다. 경험하지 않아도 우리 안에서 우리 자신이 영원의 필연성으로 분명하게 이해한 사실 '믿음'입니다. 이러한 맥락에서 믿음은 맹목적인 것이 아닙니다. 영원의 필연성 안에서 자기 스스로 명명백백하게 이해를 형성할 때, 이 이해가 참된 믿음입니다. 믿음은 자기이해의 자명(自明)에서 유래합니다.

이제 우리는 논의를 보다 더 깊게 진행해야 합니다. '나'의 사유 안에서 '나'의 존재를 영원의 필연성으로 결정한 존재를 '엄마아빠'라고 부른다면, 엄마아빠의 존재는 영원의 필연성이기 때문에 절대적으로 이 존재를 의심하거나 부정할 수 없습니다. 그리고 엄마아빠의 존재가 '나'의 존재를 결정했다면, 이 결정은 당연히 영원의 필연성을 본성으로 갖습니다. 영원의 필연성으로 존재하는 것이 '나'의 존재를 결정한다면, 그 결정은 영원의 필연성 안에 있기 때문에 당연히 영원의 필연성을 본성으로 갖습니다. 그리고 '나'의 존재에 대한 '나'의 이해 안에서 '나'의 존재를 결정한 엄마아빠는 생명과 사랑이며, 이 역시 영원의 필연성을 본성으로 갖습니다. 동시에 이 본성이 지금 '나'의 존재에 고유한 진실입니다.

영원의 필연성으로 존재하는 것이 영원무한의 생명과 사랑이며, 이 진실 안에서 지금 '나'의 존재가 결정되었습니다. 그래서 다음과 같은 결론은 필연적입니다.

'나'는 영원의 필연성 안에서 영원무한의 생명과 사랑으로 존재하고 활동하도록 결정되어 있다.

이 결론에 기초하여 건괘(乾卦)의 괘사(卦辭)를 보겠습니다.

乾卦-卦辭: 元, 亨, 利, 貞.

자기원인으로 존재[元]하며 자기원인으로 활동[亨]하는 것이 최고의 행복[利]이다. 이 존재는 영원의 필연성으로 자기 안에서 자기 존재와 활동에 대한 개념을 자기 스스로 이해[貞]한다. 나는 이러한 방식으로 존재하는 순수지선을 '乾'으로 이해한다.

자기이해의 믿음에서 나오는 결론과 건괘의 괘사는 본질

적으로 일치합니다. '나'의 본성에 대한 자기이해는 영원의 필
연성 안에서 영원무한의 생명과 사랑으로 존재하고 활동하도
록 결정되었다는 것이므로, '나'의 활동에 고유한 본성 또한 존
재에 고유한 본성과 일치하지 않을 수 없습니다. 이것이 진정
한 자기의 '자기 믿음'입니다. 오직 이 믿음만이 자기 존재를
최고의 완전성 안에서 최고의 아름다움으로 확인합니다.

이상의 논의를 토대로 수괘(需卦)의 괘사를 보겠습니다.

卦辭: 有孚. 光亨. 貞吉. 利涉大川.
괘 사   유 부   광 형   정 길   리 섭 대 천

유부(有孚)는 믿음이 있다는 뜻입니다. 자기 스스로 자기
존재에 고유한 본성을 이해함으로써 자기 존재의 성스러움을
확인할 때, 자기는 자기의 진실을 자기 스스로 믿어야 합니다.
자기 안에서 영원의 필연성으로 확인한 자기 진실은 자기에
대한 자기의 감각적 경험에 의존하는 것이 아닙니다. 자기 안
에서 자기 스스로 명백하게 이해한 것이며 이때의 이해는 영
원의 필연성입니다. 그렇기 때문에 반드시 자기 스스로 이해한
자기 진실을 자기 스스로 믿어야 합니다. 이 믿음은 감정에 그
대로 직결됩니다. 자기 스스로 자기 감정에 대한 이해를 감각
적 현상이 아닌 그 자체에 고유한 본성을 이해함으로써 감정
의 순수지선을영원의 필연성으로 명백하게 이해한 이상, 자기
는 감정을 향한 자기 이해의 명백함을 믿어야 합니다.

자기 존재와 자기 감정에 대한 이해가 영원의 필연성 안에서 순수지선으로 분명할 때 그와 동시에 자기의 진실을 믿습니다. 이 믿음(有孚)이 분명할 때, 자기 존재와 활동의 진실이 얼마나 거룩하고 성스러운지 이해하며 믿게 됩니다. 이것을 '광형'(光亨)이라 합니다. 형(亨) 앞에 광(光)을 둔 이유입니다. 자기 존재에 대한 개념을 형성하며 그에 고유한 본성을 확인하면, 그것은 경험에 의존하지 않기 때문에 철두철미 자기원인입니다. 유부(有孚)가 원(元)입니다. 그런데 이 원(元)을 자기이해의 자명으로 확인하면, 유부(有孚)입니다. 이 이해의 믿음 안에서 자기 존재에 고유한 본성 및 그로부터 필연적으로 연역되는 활동에 대한 이해가 영원의 필연성으로 분명하기 때문에 광형(光亨)입니다.

자기이해의 자명함을 이미 몽괘(蒙卦)의 괘사(卦辭)에서 확인했습니다.

蒙卦-卦辭: 亨. 匪我求童蒙, 童蒙求我. 初筮告. 再三瀆, 瀆則不告. 利貞.

'나'[龍]는 자기원인으로 살아가는[亨] 성스러운 존재이다. 그런데 나는 매순간 새로운 감정으로 존재한다. 따라서 '나'[龍]의 진실이 매순간 새로운 감정으로 존재하는 '나'[童蒙]에게 진리를 구하는 것이 아니라, 매순간 새로운 감정으로 존재하는 내가[童蒙] '나'[龍]에 고유한 진리를 구한다. (매순간 새로운 감정은[童蒙] 자기이해로 자기 본성[我]을 이해한다.) 감정으로 존재하는 '나'[童蒙]는 자기이해의 자명으로 '자기'[我] 본래의 진리를 이해한다[初筮告]. 자기이해를 믿지 못해서 두 번 세 번 의심하면[再三瀆] 자기를 믿을 수 없게 된다. 결국 자기이해 안에서 명백하게 이해하는 자기 본래의 진실을 알 수 없다[瀆則不告]. 자기이해[貞]가 자기를 이롭게 한다[利].

우리의 논의와 관련하여 핵심 부분을 밑줄로 강조했습니다. 자기 안에서 자기 존재 및 감정의 진실을 이해한다는 것은 공간과 시간의 개념 및 그의 한계 안에서 감각적으로 지각되는 자기의 감각적 현상을 경험하는 것과 완전히 다릅니다. 자기가 자기 안에서 자기의 존재 및 감정에 고유한 본성을 자기 스스로 이해할 때, 그 이해를 자기 스스로 믿어야 합니다. 이 믿음이 이번에 우리가 공부하는 수괘(需卦)의 괘사가 '믿음'을 뜻하는 유부(有孚)로 강조합니다. 그리고 이 사실은 이미 몽괘(蒙卦)의 괘사(卦辭)가 미리 확인했습니다. 이 믿음으로부터 몽괘의 육오(六五)는 지극히 당연합니다.

蒙卦-六五: 童蒙, 吉.

감정의 자기이해 안에서 감정의 순수지선을 이해하는 '나'는[童蒙] 감정과 행복에 대한 잘못된 이해를 뉘우침으로써 최고의 완전성과 최고의 아름다움으로 존재하는 '나'[我] 자신을 만난다[吉].

자기 존재 그 자체의 본성을 이해함으로써 자신의 진실을 이해할 수 있습니다. 이 이해는 매순간 새롭게 느끼는 감정에 나아가 그에 고유한 진실을 이해함으로써 보다 적극적이고 능동적으로 형성됩니다. 이러한 방식으로 자신을 이해할 때, 자기는 몸의 순간 변화인 감정 안에서 최고의 완전성과 아름다움으로 자기답게 살아가게 됩니다. 자기답게 살아가는 자기의 성스러움이 '광형'(光亨)입니다.

우리가 이 사실을 확인하면, 정말 중요한 것은 자기에 대한 경험이 아니라 자기에 대한 올바른 인식입니다. 이 인식의 중요성을 수괘(需卦)의 괘사(卦辭)는 '정길'(貞吉)이라 했습니다. '정'(貞)은 자기이해입니다. 자기 스스로 자명하게 이해하는 자기이해가 정(貞)입니다. 이 이해가 최고의 행복임을 확인하는 것이 '정길'(貞吉)입니다. 그렇기 때문에 참다운 이해는 경험에 의존하는 것이 아닙니다. 자기의 자기이해입니다. 이 이해가 분명할 때 감정을 느끼며 살아가는 경험을 최고의 행복으로 누릴 수 있습니다. 이 사실은 이미 둔괘(屯卦)에서 확인했습니다.

屯卦-卦辭: 元, 亨, 利, 貞. 勿用有攸往. 利建侯.

乾坤의 교차로 생겨난 '나'[龍]는 영원의 필연성[乾] 안에서 무한한 방식으로 무한하게 존재하는 감정[坤]을 이해한다. '나'는 자기원인으로 존재[元]하며 자기원인으로 활동[亨]하는 최고의 행복[利]이다. '나'는 이 사실을 나 스스로 이해[貞]한다. '나'를 떠나서 행복을 구하지 않는다[勿用有攸往]. 따라서 자기 스스로 자기이해를 형성하는 자기 정신을 굳건히 지켜야 한다[利建侯].

자기이해가 분명하지 않은 상태에서 경험을 살아가고 그것으로 자기를 이해하면 결국 불행할 수밖에 없다는 것을 둔괘의 육삼(六三)에서 확인했습니다.

屯卦-六三: 卽鹿无虞, 惟入于林中. 君子幾, 不如舍, 往吝.
둔 괘 육 삼   즉 록 무 우   유 입 우 림 중   군 자 기   불 여 사   왕 린

지금 자기의 감정을 떠나 미래의 환상에서 자기 행복을 구하려고 하면[卽鹿], 헛된 것을 쫓는 것이므로 참다운 행복으로 인도하는 감정분석학[周易]을 잃어버린다[无虞]. 이는 마치 깊은 숲에서 길을 잃는 것과 같다. 자기 행복을 배우는 사람[君子]은 행복과 불행을 결정하는 생각의 순간[幾]을 이해함으로써 행복에 대한 오해를 물리쳐야 한다[不如舍]. 그렇지 않고 잘못된 생각의 길로 가면[往] 불행에 빠진다[吝].

우리에게는 경험이 가장 소중합니다. 몸으로 살아가는 순간이 경험입니다. 그런데 그것만으로 감정을 이해하면, 그 이해는 실질적으로 감정의 감각적 현상이나 경험의 현상을 주관적으로 해석하는 것에 불과할 뿐입니다. 사실상 '이해'라고 볼 수 없습니다. 참된 이해는 현상에 고유한 본성의 필연성으로 영원무한으로 확인하는 것입니다. 이 이해가 분명할 때, 경험에 대한 배움은 경험의 성스러움을 확인합니다. 엄밀히 말해서 감정의 순수지선을 최고의 완전성과 아름다움으로 확인하는 것입니다. 이때 비로소 경험은 거룩한 것으로 우리에게 드러납니다. 이렇게 경험의 성스러움을 배우는 것이 '이섭대천'(利涉

大川)입니다. 경험에 나아가 그에 고유한 본성을 배움으로써 경험의 순수지선을 확인하는 것입니다.

　이상의 논의에 근거하여 우리는 수괘(需卦)의 괘사를 다음과 같이 번역하고 이해할 수 있습니다.

　　卦辭: 有孚. 光亨. 貞吉. 利涉大川.
　　괘사　유부　광형　정길　리섭대천

　자기 감정의 본성을 자기 스스로 이해할 때, 자기는 영원무한의 생명과 사랑을 자기 진실로 믿는다[有孚]. 자기는 이 믿음과 함께 영원무한하게 빛나는 생명과 사랑으로 살아간다[光亨]. 이 삶이 '자기이해' 안에서 누리는 성스러운 행복이다[貞吉]. 이 행복을 누리는 사람은 '다 좋은 세상'을 향한 믿음으로 '다 좋은 세상'을 배운다[利涉大川].

　우리는 몸으로 생겨나서 몸으로 살아갑니다. 몸으로 살아가는 곳이 경험이며 세상입니다. 그러나 경험과 세상이 중요하다고 해서 오직 그것만을 배운다고 하면 매우 곤란한 지경에 처하게 됩니다. 몸 그 자체의 진실을 알아야 몸으로 살아가는 세상의 진실을 이해합니다. 이러한 맥락에서 수괘(需卦)의 수(需)는 '기다림'을 뜻합니다. 『상전』(象傳)도 다음과 같이 이 사실을 확인합니다.

　需의 뜻은 기다림이니, 험한 것이 앞에 있어서 갑가지 나아갈 수가 없다. 그러므로 기다렸다가 가는 것이다.

'기다림'은 공간과 시간의 개념이기 보다는 자기이해의 배움입니다. 우리는 세상에 속해 있으며 세상을 살아가야 하지만, 세상 이전에 지금 '나'의 존재가 분명합니다. 그렇기 때문에 나 스스로 확인하는 '나' 존재의 진실을 배워야 합니다. 이 배움이 '기다림'입니다.

참고로 둔괘(屯卦)의 육사(六四)와 상육(上六)도 이 사실을 확인했습니다.

屯卦-六四: 乘馬班如, 求婚媾. 往吉, 无不利.
둔 괘   육사   승 마 반 여   구 혼 구   왕 길   무 불 리

자기 행복에 대한 잘못된 생각에서 내려와[乘馬班如] 자기 스스로 자기 안에 본래부터 존재하는 영원무한의 생명와 사랑을 이해해야[求婚媾] 한다. 그렇게 함으로써 오직 자기이해만을 따라서 살아갈 때[往], '나'는 최상의 행복을 누리는 축복을 받는다[吉]. '나'는 '다 좋은 세상'을 배우는 즐거움으로 살아갈 수 있다[无不利].

屯卦-上六: 乘馬班如, 泣血漣如.
둔 괘   상 육   승 마 반 여   읍 혈 연 여

감정의 현상에 나아가 그것이 품고 있는 본성을 자기이해 안에서 명석판명하게 이해해야 한다. 그렇지 않고 행복을 밖에서 구하려다 다시 자포자기에 빠지기를 반복하면[乘馬班如], 끝내 반드시 알아

야 하는 자기 진실을 이해할 수 없게 된다. 이때 자기 생각의 잘못을 후회하며 통한의 눈물을 흘리면 되겠는가[泣血漣如]?

2. 初九: 자기이해의 자기믿음
초 구

수괘(需卦)에서 핵심은 '유부'(有孚)입니다. 자기이해의 자기믿음이 분명할 때(有孚), 자기답게 살 수 있습니다. 이러한 삶의 축복이 광형(光亨)이며 정길(貞吉)입니다. 이러한 맥락에서 '기다림'(需)은 자기이해의 자기믿음을 뜻합니다. 자기이해의 자기믿음을 둔괘(屯卦)는 '반석'으로 이야기했습니다.

屯卦-初九: 磐桓. 利居貞, 利建侯.
둔 괘 초 구 반 환 리 거 정 리 건 후

'나'[龍]의 진실은 乾坤이 교차하는 영원무한의 생명과 사랑이기 때문에 '나'의 행복은 절대 흔들리지 않는 반석[磐] 위에 굳건[桓]하다. 이 사실은 자기 본성을 자기 스스로 이해하는 '자기이해'가 영원의 필연성으로 확인하는 것이므로, '나'는 반드시 이 이해로 살아가야 하며[利居貞] 이 이해를 지켜야 한다[利建侯].

자기 스스로 자기답게 살아가는 자유와 축복을 누리는 가장 확실하며 유일한 방법은 자기이해의 자기믿음을 지키는 것입니다. "'나'는 반드시 이 이해로 살아가야 하며[利居貞] 이 이해를 지켜야 한다[利建侯].'라고 말한 이유입니다. 이 믿음으로 살아가는 사람은 자신이 처한 환경과 조건에 굴복되기 보다는 자기답게 살아가는 여유와 행복을 누립니다. 수괘(需卦)의 초구(初九)는 이 사실을 다음과 같이 확인합니다.

初九: 需于郊, 利用恒. 无咎.
초구　수우교　리용항　무구

수(需)는 이미 말한 바와 같이 자기이해의 자기믿음을 뜻하는 유부(有孚)입니다. 교(郊)는 '아득히 먼 곳'을 뜻합니다. 사람 사는 세상으로부터 아득히 먼 곳은 어떤 곳일까요? 그 거리에 비례하여 사람이 살아가는 세상으로부터 멀어지기 때문에 살기에 적당하지 않습니다. 이 이유로 감정분석학은 교(郊)를 '달동네'라고 번역합니다. 그렇기 때문에 '수우교'(需于郊)를 다음과 같이 번역할 수 있습니다.

'믿음'[有孚]으로 살아가는 '나'는[龍] 달동네[郊] 같은 열악한 환경이나 조건에 처해서도

다음으로 중요한 것은 '리용항'(利用恒)입니다. 항(恒)은 '변함없음'을 뜻합니다. 영원불멸입니다. 그런데 앞에서 논한 바와 같이 자기이해의 자기믿음은 영원의 필연성을 확인하는 것이며, 그 실상은 영원무한의 생명과 사랑입니다. 유부(有孚)와 항(恒)은 본질적으로 일치합니다. 『상전』(象傳)도 다음과 같이 항(恒)의 핵심을 정리합니다.

　　君子가 때를 기다림에 安靜하고 스스로 지켜, 뜻은 비록 기다림
이 있으나 태연히 장차 그대로 終身할 듯이 여기니, 이것이 바로 떳
떳함을 쓰는 것이다.

『주역전의 上』

성백효 譯註/ 전통문화연구회(2016), 252.

　　"安靜하고 스스로 지켜"라고 말했습니다. 이것이 자기이해의
자기믿음입니다. 정길(貞吉)을 뜻합니다.

　　그러므로 우리는 초구(初九)를 다음과 같이 번역하고 이해
할 수 있습니다.

　　初九: 需于郊, 利用恒. 无咎.
　　　　 초구 수우교 리용항 무구

　　'믿음'[有孚]으로 살아가는 '나'는[龍] 달동네[郊] 같은 열악한 환
경이나 조건에 처해서도 자기 존재의 진실을 변함없이[恒] 지킨다.
자기 본래의 행복을 자기 스스로 확인한다[无咎].

3. 九二: 자기믿음의 자기구원

한국을 대표하는 시인 김소월은 1922년 1월 『개벽』에서

다음과 같은 시를 발표합니다.

　　엄마야 누나야

　　엄마야 누나야 강변 살자
　　뜰에는 반짝이는 금모래 빛
　　뒷문 밖에는 갈잎의 노래
　　엄마야 누나야 강변 살자

　　"엄마야 누나야 강변 살자"의 강변이 수괘(需卦)의 구이(九二)에 있는 '사'(沙)입니다. 강변에 산다는 것은 화려함이나 사치와는 거리가 멉니다. 그러나 그러한 삶을 살아가는 몸에 집중해 봅시다. 몸의 진실은 영원무한의 생명과 사랑입니다. 이진실 안에서 내 몸의 생겨나고 살아갑니다. 이 사실을 확인하면, 강변 모래밭에의 삶도 영원무한의 생명과 사랑의 축복 속에 있습니다. 이 축복을 구이(九二)는 '수우사'(需于沙)라고 합니다.

　　이렇게 말하면 말도 안 되는 소리라고 비난합니다. 그러나 수우사(需于沙)는 강변 모래밭에서 살아야 한다는 강요나 강제가 아니라 그럼에도 불구하고 행복이 절대 사라지지 않는다는 사실을 강조합니다. 수우사(需于沙)를 향한 비난이 '유소언'(有小言)입니다. 이때 그들의 말에 억압되어서는 안 됩니다. 자기스스로 자기 존재의 진실에 고유한 본성을 확인한 이상, 자기 행복은 자기이해의 자기믿음으로 지켜야 합니다.

이것을 둔괘(屯卦)의 구오(九五)는 다음과 같이 확인합니다.

屯卦-九五: 屯其膏. 小貞吉, 大貞凶.
둔괘 구오 둔기고 소정길 대정흉

'나'는 몸으로 생겨나 몸으로 살아가기 때문에 지금 자신의 몸[膏]을 영원무한의 생명과 사랑을 향한 믿음 안에서 굳건히 지켜야[屯] 한다. 이것이 행복의 방법이다. 지금 자신의 몸[小]에서 자기 존재의 진실을 이해[貞]할 때 신적 축복[吉]을 누릴 수 있지만, 자기 몸을 꾸며주는 현상을 극대화[大]하고 그것으로 자신을 이해[貞]한다고 하면 결국 불행[凶]에 갇히게 된다.

결국 자기 스스로 자기를 구원하는 것이 학문의 핵심입니다. 자기가 자기를 구원할 수 있는 이유는 자기의 진실이 영원무한의 생명과 사랑 속에서 최상의 완전성과 아름다움으로 결정되어 있기 때문입니다. 자기가 자기를 바로 보게 되면, 달동네에 살아도 행복이며 모래밭에 살아도 행복입니다. 이렇게 자기의 행복을 이해하는 사람은 달동네 또는 강변에 처해서도 자기의 행복을 잃지 않습니다. 이미 행복이기 때문에 보다 더 큰 행복을 추구하는 것이 인생의 즐거움입니다. 즐겁게 살아가며 즐겁게 자기 삶을 보다 더 큰 축복으로 인도합니다.

그러므로 우리는 수괘(需卦)의 구이(九二)를 다음과 같이 번역하고 이해할 수 있습니다.

九二: 需于沙, 小有言. 終吉.
구이　수우사　소유언　종길

　　'믿음'[有孚:需]으로 살아가는 내가[龍] 집도 없는 빈 손으로 살아
갈 때[沙], 사람들로부터 '도대체 믿음이 무슨 소용인가?'라는 업신여
김을 받을 수 있다[所有言]. 그러나 '믿음'[有孚]으로 살아가는 '나'는
[龍] 결국 자기 믿음이 주는 보상을 받게 되어 있다[終吉].

4. 九三: 자기이해의 정신력
구삼

　　우리의 삶이 전혀 예상하지 못한 극단적인 모습으로 전개
될 때가 있습니다. 사업에서 성공가도를 달리는 중에 갑자기
넘어지게 되는 순간을 만날 수 있습니다. 이런 뜻밖의 순간은
비단 경영이나 경제 문제에 국한되지 않습니다. 몸이 아파 병
원에 갔는데, 의사 선생님께서 시한부 인생을 선고할 수도 있
습니다. 이렇게 어느 순간 비극 한 가운데 놓이게 될 때, 우리
는 과연 자기이해의 자기믿음을 지킬 수 있을까요? 이 질문에
대해서 17세기 서양 철학자 스피노자는 다음과 같은 대답을
우리에게 들려줍니다.

　　제4부 정리 3: 감정의 유한성
　　인간이 자기 존재를 지속하는 힘은 제한되어 있으며 외부 원인

의 힘에 의하여 무한히 압도된다.

_『감정의 예속과 자유』
.성동권, 부크크, 2024.

어떤 계기나 사건 등으로 인해 우리의 삶은 전혀 예상하지 못한 방향으로 전개될 수 있다는 뜻입니다. "외부 원인의 힘에 의하여 무한히 압도된다."라고 했습니다. 자기이해의 자기믿음을 간직하기가 매우 어렵게 됩니다. 이 어려움을 수괘(需卦)의 구삼(九三)은 믿음이 진흙에 빠져서 벗어나기 매우 어렵다는 뜻에서 '수우니'(需于泥)라고 합니다. 이런 지경에 처하면 자기이해의 자기믿음을 간직하기가 매우 어렵습니다. 이 상실에 대해서 구삼(九三)은 '믿음을 빼앗는 도둑(寇)이 이른다.'는 뜻에서 치구지(致寇至)라고 말합니다.

그러나 인간 정신의 성스러움은 이러한 비극에도 불구하고 자기 본래의 기능을 망각하지 않습니다. 우리는 얼마든지 "외부 원인의 힘에 의하여 무한히 압도"될 수 있지만, 한편으로 얼마든지 자기이해의 자기믿음 안에서 자기 본성의 필연성을 따르는 성스러운 삶을 누릴 수 있습니다. 인간 정신의 고귀함은 외적인 조건과 환경에 의해서 결정되지 않는 데에 있습니다.

제5부 정리 2: 자기원인의 감정
만약 우리가 정신의 동요나 감정을 외부 원인에 대한 생각으로부터 분리하고 다른 생각들과 결합시킨다면, 그 외부 원인에 대한 애

정이나 증오, 그리고 이러한 감정에서 발생하는 정신의 동요들은 파괴될 것이다.

제5부 정리 3: 감정의 자기이해
수동적인 감정은 우리가 그에 대해서 명석하고 판명한 관념을 형성하는 즉시 더 이상 수동적이 아니게 된다.

제5부 정리 4: 감정의 이성
우리가 명석하고 판명한 개념을 형성할 수 없는 몸의 변화는 없다.

_『신을 향한 지적인 사랑』
.성동권, 부크크, 2024.

"우리가 명석하고 판명한 개념을 형성할 수 없는 몸의 변화는 없다."라고 말했습니다. 우리는 얼마든지 외부 원인에 의해서 압도될 수 있지만, 그럼에도 불구하고 우리는 자기 존재 및 감정에 대해서 명석하고 판명한 이해를 형성할 수 있다는 뜻입니다. 인간이 성스러운 존재인 까닭이 여기에 있습니다. 그렇기 때문에 자기이해의 자기믿음이 억압되는 순간에도 우리는 얼마든지 자기이해를 통해서 자기믿음을 지키며 살 수 있습니다. 즉, 앞에서 언급한 경제적 어려움이나 건강의 문제에 불구하고 우리는 우리 자신의 행복을 지킬 수 있다는 뜻입니다. 몽괘(蒙卦)의 상구(上九)도 다음과 같이 이 사실을 확인했습니다.

蒙卦-上九: 擊蒙, 不利爲寇, 利禦寇.
몽 괘 상 구 격 몽 불 리 위 구 리 어 구

감정으로 존재하는 '나'는[童蒙] 자신의 현상에 머물 것이 아니라 [擊蒙], 자기 현상이 본래부터 품고 있는 자기 진실로서 영원무한의 생명과 사랑을 이해해야 한다. 그렇기 때문에 자기 생명과 사랑을 밖에서 구하면 안 된다[不利爲寇]. 자기 생명과 사랑을 밖에서 구하려는 생각을 막아야 한다[利禦寇].

'리어구'(利禦寇)라고 했습니다. 자기이해의 자기믿음을 억압하는 '치구지'(致寇至)에도 불구하고 인간의 마음은 자기 존재 및 감정을 영원의 필연성 안에서 영원무한의 생명과 사랑으로 이해함으로써 '리어구'(利禦寇)를 할 수 있다는 뜻입니다. 그러므로 우리는 수괘(需卦)의 구삼(九三)에 대해서 다음과 같이 번역하고 이해할 수 있습니다.

九三: 需于泥, 致寇至.
구 삼 수 우 니 치 구 지

'믿음'[有孚:需]으로 살아가는 내가[龍] 극도로 궁핍한 처지에 놓이게 되었을 때[泥], '나'는 생명과 사랑의 진실에 대해서 의심하게 된다[致寇至].

5장. 需卦: 믿음의 감정분석학

5. 六四: 자기 몸을 바로 보기
육 사

　　지금 자기의 몸이 얼마나 성스러운 것인지, 그리고 얼마나
큰 축복 속에 있는지 배우는 것이 학문의 핵심입니다. 오직 이
학문만이 성스러움의 영광을 받습니다. 그렇기 때문에 우리가
이 학문에 참여할 때 우리 자신의 성스러움을 확인합니다. 지
금 자기의 몸은 우주 먼지 보다 더 작은 존재 같습니다. 그러
나 자기 몸에 나아가 생김의 진실을 자기 스스로 이해하면, 지
극히 당연하지만 매우 놀라운 사실을 확인합니다. 자기는 우주
전체와 본래 하나로 존재하며 활동합니다.

　　영원무한의 생명과 사랑 그 자체가 지금 내 몸에 고유한
본성이며, 이 본성은 동시에 우주 전체와 하나입니다. 우주 전
체도 결국 인과의 필연성에서 보면 생겨난 것의 총합이며, 이
사실로부터 영원무한의 생명과 사랑을 자기 존재에 고유한 본
성의 필연성으로 갖습니다. 이 진실을 자기 몸의 생김에서 확
인하면, 몸으로 살아가는 몸의 놀이 또한 이 진실 안에 있습니
다.

　　이상의 진실에 입각하여 수괘(需卦)의 육사(六四)를 보겠
습니다. 우리는 초구(初九)의 '수우교'(需于郊)로 시작해서 구삼
(九三)의 '수우니'(需于泥)에 이르렀습니다.

初九: 需于郊, 利用恒. 无咎.
초구　수우교　 리용항　 무구

'믿음'[有孚]으로 살아가는 '나'는[龍] 달동네[郊] 같은 열악한 환경이나 조건에 처해서도 자기 존재의 진실을 변함없이[恒] 지킨다. 자기 본래의 행복을 자기 스스로 확인한다[无咎].

九二: 需于沙, 小有言. 終吉.
구 이　수 우 사　소 유 언　종 길

'믿음'[有孚:需]으로 살아가는 내가[龍] 집도 없는 빈 손으로 살아갈 때[沙], 사람들로부터 '도대체 믿음이 무슨 소용인가?'라는 업신여김을 받을 수 있다[所有言]. 그러나 '믿음'[有孚]으로 살아가는 '나'는 [龍] 결국 자기 믿음이 주는 보상을 받게 되어 있다[終吉].

九三: 需于泥, 致寇至.
구 삼　수 우 니　치 구 지

'믿음'[有孚:需]으로 살아가는 내가[龍] 극도로 궁핍한 처지에 놓이게 되었을 때[泥], '나'는 생명과 사랑의 진실에 대해서 의심하게 된다[致寇至].

가장 중요한 것은 자기 스스로 자기 몸의 진실에 근거하여 자기 몸의 순간 변화인 감정의 진실을 이해하는 것입니다. 이 진실을 요약하는 것이 이번에 공부하는 육사(六四)의 '수우혈'(需于血)입니다. 여기에서 혈(血)은 말 그대로 '피'입니다. 피는 몸의 생명을 지키는 기초입니다. 이로부터 혈(血)은 지금 '나'의 몸으로 이해해야 합니다. 한편, 수(需)는 우리가 이미 확인한 바와 같이 믿음을 뜻하는 '유부'(有孚)를 본성으로 갖습니다. 이로부터 우리는 수우혈(需于血)을 자기 몸에 대한 자기믿음으로 이해할 수 있습니다. 그리고 자기믿음은 자기이해에 기초하기 때문에 몸에 대한 자기믿음은 몸에 대한 자기이해를 기초로 갖습니다.

이 이해가 분명할 때, 우리는 더 이상 사실상 존재하지 않는 외부 원인에 자신이 결정되었다는 착각에 빠지지 않습니다. 수괘(需卦)의 구삼(九三)에 등장하는 '도둑'(寇)을 막을 수 있습니다. 이 도둑을 몽괘(蒙卦)의 초구(初九)는 '질곡'으로 표현하였습니다.

蒙卦-初六: 發蒙. 利用刑人, 用脫桎梏, 以往吝.
몽 괘 초 육 발 몽 리 용 형 인 용 탈 질 곡 이 왕 린

감정으로 존재하는 '나'[童蒙]는 자기이해의 자명으로 '자기'[我] 본래의 진리를 이해한다. 그렇기 때문에 감정은 자기 본성이 아닌 '다른 것'[人]에 의해서 자기 감정이 결정되었다고 이해하면 안 된다 [刑人]. 이로부터 감정은 자기원인으로 존재하는 자유를 누리게 된다 [用說桎梏]. 그렇지 않고 외부 원인으로 자기[童蒙]를 이해하면[往] 자기는 자기 아닌 다른 것에 의해서 강제되는 부자유의 질곡에 갇히게 된다[吝].

자기이해의 자명이 분명하지 않으면, 결국 수우니(需于泥)의 질곡에 빠지게 됩니다. '致寇至'를 피할 수 없습니다. 이로부
치 구 지
터 몸으로 생겨나서 몸으로 살아가는 우리에게 가장 중요한 것은 자기 진실을 자기 스스로 명백하게 이해하는 것입니다. 건괘(乾卦)의 구오(九五)는 다음과 같이 말했습니다.

乾卦-九五: 飛龍在天, 利見大人.
건 괘 구 오 비 룡 재 천 리 견 대 인

마침내 '감정분석학'[周易] 안에서 감정을 느끼며 감정으로 살아가는 '자유'를 누리는 '나'[飛龍]는 '다 좋은 세상'을 누리는 축복을 받는다[在天]. 왜냐하면 자기 스스로 자신의 감정을 감각적 현상으로 해석하지 않고 그 자체에 고유한 본성으로 이해하는 한에서 자기는 자연의 모든 감정을 그 자체에 고유한 본성의 영원한 필연성으로 이해하기 때문이다. 이때 비로소 나는 천지의 장엄함을 이해하는 성스러운 사람[大人]으로 '나' 자신을 이해한다[利見].

물론 '나'의 성스러움을 '나' 자신이 반드시 배워야 하는 것은 아닙니다. 왜냐하면 나는 본래 성스러운 존재로 생겨나서 놀이하도록 결정되었기 때문입니다.

坤卦-六二: 直方大. 不習无不利.
곤 괘 육 이 직 방 대 불 습 무 불 리

감정은 오직 '자기 본성의 필연성'[直]을 따라서 무한한 방식으로 무한하게 존재하므로[方] 절대적으로 '순수지선'[大]이다. 그렇기 때문에 우리가 감정을 배우지 않아도[不習] 감정으로 살아가는 세상은 본래부터 '다 좋은 세상'이다[无不利].

그러나 본래 성스러운 사람으로 생겨나서 놀이하도록 결정되었다는 사실을 가지고 자신의 성스러움을 배울 필요가 없다고 생각하면, 그것은 큰 착각입니다. 왜냐하면 몸으로 살아간다는 것은 자신과 무한히 다른 몸과의 무한 교차를 뜻하기 때문입니다. 몸과 몸의 교차로부터 우리는 얼마든지 몸의 본성이 아닌 몸 밖 외부의 몸에 의해서 자신이 결정되었다는 인식의 오류에 빠질 수 있습니다. 이 사실은 이미 스피노자도 지적했습니다.

제4부 정리 3: 감정의 유한성
인간이 자기 존재를 지속하는 힘은 제한되어 있으며 외부 원인의 힘에 의하여 무한히 압도된다.

_『감정의 예속과 자유』
성동권, 부크크, 2024.

이 이유로 자기 존재에 대한 자기이해가 매우 중요합니다. 이 이해가 반석으로서 분명할 때, 자기는 외부 원인에 의존하거나 강제되는 것으로 자신을 이해하지 않고 자기 본성의 필연성인 영원무한의 생명과 사랑으로 자신을 이해합니다. 이 이해의 중요성을 둔괘(屯卦)의 초구(初九)에서 확인했습니다.

屯卦-初九: 磐桓. 利居貞, 利建侯.
둔괘 초구 반환 리거정 리건후

'나'[龍]의 진실은 乾坤이 교차하는 영원무한의 생명과 사랑이기 때문에 '나'의 행복은 절대 흔들리지 않는 반석[磐] 위에 굳건[桓]하다. 이 사실은 자기 본성을 자기 스스로 이해하는 '자기이해'가 영원의 필연성으로 확인하는 것이므로, '나'는 반드시 이 이해로 살아가야 하며[利居貞] 이 이해를 지켜야 한다[利建侯].

"'나'는 반드시 이 이해로 살아가야 하며[利居貞] 이 이해를 지켜야 한다[利建侯]."라고 했습니다. 여기에서 '이 이해'는 자기이해이며, 실상은 자기 몸의 생김에 대한 이해로 몸의 놀이에 고유한 영원의 진실이 무엇인지 확인하는 것입니다. 이때 비로소 인식의 질곡으로부터 자신을 자유롭게 합니다. 이것이 자기믿음의 자기구원입니다. 이것을 수괘(需卦)의 육사(六四)는 '출자혈'(出自穴)이라 부릅니다. '구멍(穴)으로부터(自) 나온다(出).'는 뜻입니다. 구멍은 몽괘(蒙卦) 초육(初六)의 질곡(桎梏)과 같은 뜻으로 이해해야 합니다. 왜냐하면 우리가 수우혈(需于血)을 자기 몸에 대한 자기이해로 이해하는 한에서 이 이해는 자기믿음의 절대성이기 때문입니다. 이 믿음이 분명한 자기는 절대적으로 질곡에 갇히거나 인식의 오류에 빠지지 않습니다.

그러므로 우리는 수괘의 육사를 다음과 같이 번역하고 그 뜻을 이해할 수 있습니다.

六四: 需于血, 出自穴.
육사 수우혈 출자혈

'믿음'[有孚:需]으로 살아가는 내가[龍] 생명의 위태로움[血] 앞에서도 자기 믿음을 굳건히 지킬 때, 마침내 나는 나의 행복을 구속한[穴] 삶의 모든 현상 및 조건으로부터 '나' 자신을 자유롭게 한다[出自穴]. 다 이루었나이다!

---

6. 九五(구오): 자기믿음의 경제

　자기 스스로 자기 몸의 진실을 영원무한의 생명과 사랑으로 확인한 사람은 자기 몸으로 살아가는 모든 순간을 영원무한의 생명과 사랑으로 살아갑니다. 이렇게 살아가는 사람이 모여서 이룬 세상은 어떤 세상일까요? 생명과 사랑으로 살아가는 사람은 절대적으로 생명과 사랑을 어기지 않습니다. 보다 적극적으로 말해서 오직 생명과 사랑 안에서 생명과 사랑만을 나눕니다. 생명과 사랑으로 만들어 낸 모든 것을 오직 생명과 사랑을 위해서 사용하며, 생명과 사랑을 위해서 자신의 모든 것을 나눕니다. 이렇게 살아가는 사람이 모여서 만든 세상은 절대적으로 전쟁을 비롯해서 살인이나 강도 등과 같은 짓을 범하지 않습니다. 결국 경제가 무한한 방식으로 무한하게 발전하며 번영합니다.

　이런 논의를 믿기는 매우 어렵습니다. 그러나 건괘(乾卦)로부터 지금의 수괘(需卦)에 이르기까지, 그리고 수괘의 초구(初九)로부터 바로 앞의 육사(六四)에 이르기까지 일관된 논의는 자기 스스로 자기 존재의 진실을 이해하는 것이며, 이 이해로부터 자기가 확인하는 자기 진실은 영원무한의 생명과 사랑입니다. 결국 사회 현상이나 역사적 사실을 제시하기 이전에 과연 자기 스스로 자기 진실을 명백하게 이해하고 있는지, 이 사실을 먼저 확인해야 합니다. 지금 자기가 자기 몸에 나아가 생김에 고유한 진실을 확인하고, 그 진실로부터 필연적으로 연역되는 자기 몸의 놀이의 진실이 무엇인지 이해하면, 자기는 영원의 필연성 안에서 생명과 사랑 안에서 생겨나 놀이하도록 결정되어 있다는 사실을 명백하게 이해합니다. 이 이해가 분명한 사람은 사회나 사람을 탓하기 이전에 우리 모두가 자기에 대한 자기이해의 자기믿음이 얼마나 중요한지 이해합니다.

이 이해가 분명한 사람은 자기를 바르게 인식하는 교육이 얼마나 중요한지 알고 있습니다. 이 사람은 오직 자기이해의 진실로 인도하는 학문을 세우기 위해서 할 수 있는 모든 노력을 기울입니다. 그렇지 않고 참된 행복을 자기 밖에서 구하면, 그 즉시 자기 생명의 진실을 상실하게 됩니다. 몽괘(蒙卦)의 육삼(六三)에서 이미 확인할 사실입니다.

六三: 勿用取女. 見金夫, 不有躬. 无攸利.
육삼　물용취녀　견금부　불유궁　무유리

감정으로 존재하는 '나'[童蒙]는 행복을 밖에서 구해서는 안 된다[勿用取女]. 자신의 행복이 황금(돈)에 있다고 생각하면[見金夫], 감정은 자기 몸[躬]이 품고 있는 생명과 사랑의 영원무한을 알 수 없다. 결국 감정은 지금 자신과 자기 생명의 성스러움을 이해할 수 없게 된다[无攸利].

자기 몸 밖에서 행복을 구하면(見金夫), 자기 몸 안에 존재하는 생명과 사랑을 없다고 억지 주장을 합니다. 그러나 육사(六四)의 '需于血, 出自穴.'이 분명하면, 그때 비로소 자기는 자
수우혈　출자혈

기 본성을 따라서 삽니다. 영원무한의 생명과 사랑을 실천합니다. 이러한 실천이 무엇인지 '구오'(九五)는 다음과 같이 말합니다.

九五: 需于酒食, 貞吉.
구오　　수우주식　정길

믿음 안에서 우리가 함께 산다고 합니다. 몸으로 살아간다는 것은 몸을 위한 음식을 먹는 것입니다. 음식을 먹고 술을 마신다는 것이 얼마나 성스러운지 확인하는 유일한 방법은 그것을 먹고 마시는 몸이 얼마나 성스러운지 이해하는 것입니다. 영원의 필연성 안에서 생명과 사랑으로 생겨나고 놀이하도록 결정된 몸입니다. 이 몸이 자신의 생명과 사랑을 위해서 그리고 생명과 사랑을 실천하기 위해서 음식을 먹고 술을 마십니다. 이 사실을 확인하는 것이 '需于酒食'입니다.
　　　　　　　　　　　　　　　　　　　　수우주식

　　우리가 이렇게 살아가면 다 좋은 세상이 우리의 진실임을 확인합니다. 이 진실 안에서 경제는 무한히 발전하며, 문명은 영원의 행복 안에서 무한히 번영하며 진보합니다. 결국 정말 중요한 것은 무엇일까요? '자기이해'입니다. 이 이해의 축복을 강조하는 것이 정길(貞吉)입니다. 따라서 우리는 구오(九五)를 다음과 같이 번역하고 이해할 수 있습니다.

九五: 需于酒食, 貞吉.
구오　　수우주식　정길

삶의 모든 순간을 오직 영원무한의 생명과 사랑을 향한 '믿음' [有孚:需]으로 살아가는 '나'는[龍] 자기 믿음 안에서 자기 몸의 생명을 보살핀다[酒食]. 자기이해에서 나오는 자기 믿음 안에서 삶의 모든 순간들이 최고의 완전성과 최고의 아름다움으로 존재하고 있다는 사실을 확인한다[貞吉].

7. 上六: 본래 다 좋은 세상

수괘(需卦)의 상육(上六)을 살펴보기 앞에서 이미 정리한 육사(六四)의 효사(爻辭)를 보겠습니다.

六四: 需于血, 出自穴.

'믿음'[有孚:需]으로 살아가는 내가[龍] 생명의 위태로움[血] 앞에서도 자기 믿음을 굳건히 지킬 때, 마침내 나는 나의 행복을 구속한[穴] 삶의 모든 현상 및 조건으로부터 '나' 자신을 자유롭게 한다[出自穴]. 다 이루었나이다!

여기에서 '혈'(穴)은 인식의 오류 또는 그로 인한 질곡(桎梏)입니다. 그런데 상육(上六)의 효사는 다음과 같이 말합니다.

上六: 入于穴, 有不速之客三人來, 敬之, 終吉.

'출자혈'(出自穴)이 아니라 '입우혈'(入于穴)을 말합니다. 이 경우 우리는 혈(穴)에 들어가자는 것을 인식의 오류에 들어가자는 뜻으로 이해할 수 있습니다. 이 지점에서 우리는 구오(九五)를 살펴볼 필요가 있습니다.

九五: 需于酒食, 貞吉.
구오　　수우주식　정길

삶의 모든 순간을 오직 영원무한의 생명과 사랑을 향한 '믿음'[有孚:需]으로 살아가는 '나'는[龍] 자기 믿음 안에서 자기 몸의 생명을 보살핀다[酒食]. 자기이해에서 나오는 자기 믿음 안에서 삶의 모든 순간들이 최고의 완전성과 최고의 아름다움으로 존재하고 있다는 사실을 확인한다[貞吉].

자기이해의 자기믿음이 분명한 사람은 삶의 모든 순간을 자기이해의 완전성 안에서 자기답게 살아갑니다. 이렇게 살아가는 사람은 세상을 등지거나 떠나지 않습니다. 세상 모든 사람들이 자기이해와 동일한 방식으로 살아가도록 인도합니다. 자기 혼자 자기이해의 자기믿음으로 살아가는 것보다는 세상의 모든 '자기'가 자기이해의 자기믿음으로 살아가는 것이 보다 더 큰 행복입니다. 우리가 감정과학 또는 감정분석학을 공부할 때, 가장 큰 시험 중에 하나가 '나는 학문의 진리를 연마함으로써 진리의 가르침대로 살아가는데, 세상 사람들은 그렇지 않다.'라는 하소연입니다. 그러나 자기이해의 자기믿음이 깊어지면 이러한 부류의 하소연은 사라집니다. 오히려 적극적으로 세상에 나아가 학문의 진리를 전파합니다.

이러한 전파가 지금 우리가 만나는 상육(上六)의 '입우혈' (入于穴)입니다. 인식의 오류에 빠지는 것이 아니라 인식의 오류에 들어가서 인식의 오류를 학문의 진리로 인도하는 것입니다. 이때 어떤 일을 겪게 될까요? 이 물음에 대한 답은 다음과 같습니다.

有不速之客三人來
유 불 속 지 객 삼 인 래

불속(不速)은 서두르라는 재촉을 하지 않는 것입니다. 다음으로 삼인(三人)이 무엇인지 이해해야 합니다. 삼인(三人)은 초구의 '수우교'(需于郊), 구이의 '수우사'(需于沙), 그리고 구삼의 수우니(需于泥)입니다. 정이도 『역전』(易傳)에서 삼인(三人)을 '초구-구이-구삼'으로 설명합니다. 그렇기 때문에 재촉하지 않은 손님 세 명이 온다는 것은 자기이해의 자기믿음으로 살아가는 사람이 세상에 나갔을 때 겪는 고난이 무엇인지 설명합니다. 학문의 진리가 밤하늘 둥근 보름달처럼 환하게 빛을 내고 있지만, 사람들이 학문의 진리를 배우지 않으면 자신의 행복을 자신의 겉모습 같은 현상으로 잘못 이해하게 됩니다. 그로 인해 서로 빼앗고 빼앗는 전쟁, 즉 '만인 전쟁'은 피할 수 없습니다. 사람의 본성이 악한 것이 아니라 사람이 자기 본성의 진실을 이해하지 않으면 악행을 하게 됩니다.

그런데 '有不速之客三人來' 다음에 나오는 말이 매우 중요
합니다.

有不速之客三人來, 敬之

'경지'(敬之)라고 했습니다. 삼인(三人)을 존중하라는 것입
니다. 자기이해의 자기믿음이 분명한 사람은 영원무한의 생명
과 사랑을 말합니다. 우리가 영원의 필연성 안에서 최고의 행
복과 아름다움으로 존재하며 활동하도록 결정되었다고 주장합
니다. 그러나 자기이해를 결여함으로써 자기믿음을 상실한 사
람(초구 ~ 구삼)은 이 말을 듣지 않을 뿐만 아니라 오히려 부
정하려 합니다. 그러나 자기이해의 자기믿음이 분명한 사람은
그들의 주장을 존중합니다. 왜냐하면 그들을 이해하기 때문입
니다. 자기에 대한 인식의 오류에 빠진 사람은 절대 이해하지
못하기 때문입니다.

그러나 인간 정신의 진실은 절대 왜곡되거나 변질되지 않
습니다. 자기이해의 자기믿음이 분명한 사람은 뜻밖에 사람을
향한 믿음이 분명합니다. 자기 인식의 오류에 빠진 이들을 믿
습니다. 그들을 학문의 진리로 인도합니다. 이 진실이 분명하
기 때문에 다음과 같이 말합니다.

終吉

영원의 필연성으로 우리 모두가 '다 좋은 세상'을 누리게 되어 있다는 진리의 약속입니다. 본래부터 다 좋은 세상이기 때문에 자기의 진실을 배우면 이 세상의 진실을 누리게 된다는 뜻입니다. 이 이야기는 예수 선생님의 인생입니다. 공자와 맹자의 인생이기도 합니다. 부처도 마호메트도 그렇게 살았습니다. 그리고 그들의 가르침을 진실로 배우며 이해함으로써 가르침대로 살아간 우리 모두의 성스러운 삶의 이야기입니다. 그러므로 우리는 수괘(需卦)의 상육(上六)을 다음과 같이 번역하고 그 뜻을 이해할 수 있습니다.

上六: 入于穴, 有不速之客三人來, 敬之, 終吉.
상 육　입 우 혈　유 불 속 지 객 삼 인 래　경 지　종 길

'믿음'[有孚:需]으로 살아가는 '나'는[龍] 생명의 진실 안에서 세상에 나아간다[入于穴]. 달동네, 집 없는 빈 손, 극도의 궁핍 등 그 어떤 삶의 현상이 '나'에게 찾아와도[有不速之客三人來] '나'는 자기 존재의 진실을 믿고 지킨다[敬之]. 마침내 '다 좋은 세상'을 믿고 배우는 최고의 행복을 받는다[終吉].

부록

부록: 주역 번역 1장 건괘(乾卦) ~ 5장 수괘(需卦)

1장. ䷀ 乾: 자기원인으로 존재하는 감정
　　　　　　　　건

1. 卦辭: 감정의 영원한 필연성
　　　　괘 사

卦辭: 元, 亨, 利, 貞.
　　괘 사　원　형　리　정

　자기원인으로 존재[元]하며 자기원인으로 활동[亨]하는 것
이 최고의 행복[利]이다. 이 존재는 영원의 필연성으로 자기
안에서 자기 존재와 활동에 대한 개념을 자기 스스로 이해[貞]
한다. 나는 이러한 방식으로 존재하는 순수지선을 '乾'으로 이
해한다.

2. 初九: 감정 그 자체의 진실
　　　초 구

初九: 潛龍. 勿用.
　초 구　잠 룡　물 용

　'나'[龍]는 영원의 필연성으로 元亨利貞의 '乾' 안에[潛] 존
재한다. 그러한 한에서 나는 지금 내 존재에 고유한 진실[乾]
안에서 나 자신을 이해한다. 나는 감각적 현상이나 자기 효능
감 등과 같은 것으로 나 자신을 이해하지 않는다[勿用].

3. 九二: 영원으로 다 좋은 감정

九二: 見龍在田, 利見大人.

'나'[龍]는 영원의 필연성으로 '乾' 안에서 생겨나고 활동하도록 결정되어 있다. 따라서 '공간과 시간'[在田]의 형식으로 드러나는[見] 나[龍]의 삶을 최고의 행복과 아름다움으로 누리는 방법[利見]은 '나' 스스로 자기 감정의 성스러움[大人]을 이해하는 것이다.

4. 九三: 감정의 자기이해

九三: 君子終日乾乾. 夕惕若厲, 无咎.

자기 존재의 성스러움[大人]을 이해하는 사람[君子]은 매 순간 자기 몸이 새롭게 느끼는 감정을 乾 안에서 이해한다[乾乾]. 즉, 자기 스스로 자기 감정의 무한성을 영원의 필연성으로 이해한다. 이 이해를 향한 '감정분석학'[周易]은 매우 어려운 학문으로 다가오지만[夕惕若厲], 오직 이 학문만이 행복의 방법이다[无咎].

5. 九四: 감정의 행복

九四: 或躍. 在淵, 无咎.

감정분석학을 연마하는 '나'[龍]는 간혹 외부 원인에 의해서 자신의 감정이 결정되었다는 인식의 오류를 범할 수 있다 [或躍]. 이 오류로 인하여 자기 스스로 자신의 감정 또는 자기가 경험하는 감정을 떠나려고 생각할 수 있다. 그러나 그렇게 하지 않고 자신의 감정을 비롯해서 세상의 모든 감정을 본성에 고유한 필연성으로 이해하면[在淵], 자기는 감정의 순수지선을 이해함으로써 최고의 행복을 누린다[无咎].

6. 九五: 감정의 자유
구오

九五: 飛龍在天, 利見大人.
구오 비룡재천 리견대인

마침내 '감정분석학'[周易] 안에서 감정을 느끼며 감정으로 살아가는 '자유'를 누리는 '나'[飛龍]는 '다 좋은 세상'을 누리는 축복을 받는다[在天]. 왜냐하면 자기 스스로 자신의 감정을 감각적 현상으로 해석하지 않고 그 자체에 고유한 본성으로 이해하는 한에서 자기는 자연의 모든 감정을 그 자체에 고유한 본성의 영원한 필연성으로 이해하기 때문이다. 이때 비로소 나는 천지의 장엄함을 이해하는 성스러운 사람[大人]으로 '나' 자신을 이해한다[利見].

7. 上九: 감정의 뉘우침
상구

上九: 亢龍有悔.
상구 항룡유회

'감정분석학'[周易]을 배움으로써 감정 안에서 절대 자유와 절대 행복을 누리는 성스러운 '나'[亢龍]는 영원의 필연성을 향한 믿음 안에서 무한한 방식으로 무한히 새로운 자신의 감정 및 자연 전체의 감정을 영원의 필연성으로 배워서 이해한다. 그렇기 때문에 '나'는 감정에 대한 인식의 오류를 범하지 않는 것이 아니라 인식의 오류를 뉘우친다[有悔].

8. 用九: 감정의 경외
용 구

用九: 見羣龍无首, 吉.
용 구   견 군 룡 무 수   길

지금 '나'의 존재가 영원의 필연성 자체인 乾 안에서 순수지선으로 결정된 것과 같이 자연 전체도 그러하다. 내가 느끼는 '나' 자신의 감정을 비롯해서 내가 경험하는 자연의 모든 감정이 乾의 순수지선을 증명한다[見羣龍]. 이러한 방식으로 세상의 모든 감정을 이해하고 존중할 때[无首], '다 좋은 세상'은 요지부동이다[吉].

2장. ䷁ 坤: 자기원인의 자유

1. 卦辭: 감정에 대한 타당한 이해

卦辭: 元, 亨, 利, 牝馬之貞. 君子有攸往. 先迷後得, 主
利. 西南得朋, 東北喪朋. 安貞吉.

자기원인으로 존재[元]하며 자기원인으로 활동[亨]하는 것
이 최고의 행복[利]이다. 이 존재로부터 자연의 모든 감정이
생겨나며[牝馬], 동시에 이 존재는 자기가 산출하는 모든 감정
에 대한 이해를 자기 안에 본래부터 가지고 있다[貞]. 그러므
로 감정분석학[周易]을 배우는 사람[君子]은 자연의 모든 감정
에 나아가[有攸往] 감정에 대한 이해를 감각적 현상이 아닌 본
성의 영원한 필연성으로 형성한다. 감정의 감각적 현상을 앞세
우면[先] 감정에 대한 올바른 이해를 형성할 수 없으나, 감정
을 느낀 이후[後] 감정의 본성을 스스로 이해하면[得] 오직[主]
'다 좋은 감정'[利]을 확인한다. 西南은 東北 뒤[後]에 오며 東
北은 西南 앞[先]에 있다. 감정의 본성으로부터 모든 감정은
순수지선이나[得朋], 감정의 현상으로부터 모든 감정은 선악으
로 분열된다[喪朋]. 따라서 감정의 자기이해[安貞]가 최고의 행
복이다[吉].

2. 初六: 감정의 필연성
초육

初六: 履霜, 堅冰至.
초육 리상 견빙지

'나'[龍]는 감정을 느끼거나 경험할 때, 감정에 고유한 본성을 영원의 필연성으로 이해해야 한다. 마치 우리가 아침 서리를 밟을 때[履霜], 세상의 모든 것을 단단히 얼게 하는 한겨울 추위[堅冰]가 영원의 필연성으로 찾아 올 것이라는[至] 사실을 명백하게 이해하는 것과 같다.

3. 六二: 순수지선의 감정
육이

六二: 直方大. 不習无不利. 六三: 含章可貞. 或從王事,
육이 직방대 불습무불리 육삼 함장가정 혹종왕사

无成有終.
무성유종

감정은 오직 '자기 본성의 필연성'[直]을 따라서 무한한 방식으로 무한하게 존재하므로[方] 절대적으로 '순수지선'[大]이다. 그렇기 때문에 우리가 감정을 배우지 않아도[不習] 감정으로 살아가는 세상은 본래부터 '다 좋은 세상'이다[无不利]. 빛이 자신의 빛으로 존재를 증명하는 것과 같이 정신 스스로 감정에 대한 분명한 이해를 형성하는 것[含章]이 '자기이해'[貞]이다. 이 이해는 정신 스스로 자기 본성만을 따르는 절대 자유이므로 '왕의 일'[王事]에 비유할 수 있다. 이 일은 미래의 성취되어야 할 목적이 아니라[无成] 이미 존재하는 감정의 진실[乾]을 이해하는 것이다[有終].

---

5. 六四(육사): 감정 인식의 오류

六四(육사): 括囊(괄낭), 无咎无譽(무구무예).

감정분석학[周易]은 감정의 무한한 현상에 나아가 감정의 본성[乾]을 이해하는 학문이다. 이 이해를 통해서 모든 감정의 순수지선을 이해한다. 따라서 자기 감정을 억제와 조절의 대상으로 취급하는 것은[括囊] 어느 정도 효과를 낼 수 있으나[无咎], 자기 감정의 순수지선으로 확인하는 자기 존재의 성스러움은 알 수 없다[无譽].

6. 六五(육오): 감정분석학의 행복

六五(육오): 黃裳(황상), 元吉(원길).

'나' 자신의 감정을 비롯해서 자연의 모든 감정을 그 각각에 내재한 본성의 필연성[乾]으로 이해할 때[黃裳], 나는 자기원인[元]으로 존재하는 '乾'과 본래 하나라는 사실을 확인하므로 (왜냐하면 영원무한의 필연성은 단 하나의 실체이며 그러한 한에서 그에 대한 이해는 오직 실체 자신에 의해서 형성되기 때문에) 자연 안의 무한한 감정을 오직 순수지선만으로 확인하는 최고의 행복[吉]을 누린다.

7. 上六(상육): 믿음 안에서 배우는 감정

上六: 龍戰于野. 其血玄黃.
상 육   용 전 우 야   기 혈 현 황

乾에 의해서 생겨난 모든 '나'[龍]는 전전긍긍[戰]하며 자연 [野]의 모든 감정을 감정분석학[周易]으로 이해한다. 이로부터 '나'는 자연 전체와 '본래 하나'라는 사실이 밝혀진다. 따라서 '나'[龍]의 생명[血]은 '단 하나의 영원한 생명'[玄(天)] 안에서 땅 위의 '무한한 생명'[黃(地)]으로 존재한다.

8. 用六: 건곤(乾坤)으로 존재하는 감정
　　용 육

用六: 利永貞.
용 육   리 영 정

감정을 느끼며 감정으로 살아가는 자연의 진실은 '다 좋은 세상'[利]이다. 왜냐하면 감정의 진실은 영원의 필연성으로 순수지선이기 때문이다. 이 진실은 영원무한이다[永]. 이 진리를 이해하는 방법은 감정분석학[周易]의 자기 감정에 대한 '자기 이해'[貞]이다.

3장. ䷂ 屯: 자기를 보호하고 지키는 감정

1. 卦辭: 자기이해를 지키는 감정

卦辭: 元, 亨, 利, 貞. 勿用有攸往. 利建侯.

乾坤의 교차로 생겨난 '나'[龍]는 영원의 필연성[乾] 안에서 무한한 방식으로 무한하게 존재하는 감정[坤]을 이해한다. '나'는 자기원인으로 존재[元]하며 자기원인으로 활동[亨]하는 최고의 행복[利]이다. '나'는 이 사실을 나 스스로 이해[貞]한다. '나'를 떠나서 행복을 구하지 않는다[勿用有攸往]. 따라서 자기 스스로 자기이해를 형성하는 자기 정신을 굳건히 지켜야 한다 [利建侯].

2. 初九: 감정의 영원불변한 진실

初九: 磐桓. 利居貞, 利建侯.

'나'[龍]의 진실은 乾坤이 교차하는 영원무한의 생명과 사랑이기 때문에 '나'의 행복은 절대 흔들리지 않는 반석[磐] 위에 굳건[桓]하다. 이 사실은 자기 본성을 자기 스스로 이해하는 '자기이해'가 영원의 필연성으로 확인하는 것이므로, '나'는 반드시 이 이해로 살아가야 하며[利居貞] 이 이해를 지켜야 한다[利建侯].

3. 六二: 감정의 자기 사랑
육이

六二: 屯如, 邅如. 乘馬班如, 匪寇婚媾. 女子貞, 不字十
육이 둔여 전여 승마반여 비구혼구 여자정 불자십

年乃字.
년내자

자기를 지키며[屯] 자기로 돌아와야 한다[邅]. 자신의 겉모
습이 너무 싫을 때, 그런 자신을 향한 다른 이들의 말 때문에
너무 괴로울 때, 자기는 자살이나 살인 등으로 자신의 현상을
벗어나려 한다[乘馬]. 그러나 이렇게 감정이 요동치는 순간, 자
기는 자기 본래의 진실로 돌아와야 한다[班如]. 자기의 겉모습
은 행복을 빼앗는 것[匪寇]이 아니라 최고의 아름다움을 품고
있는 성스러운 것이다[婚媾]. 지금 자신의 현상을 떠나지 않고
[匪媾], 마치 신부[女子]가 사랑하는 신랑을 향해 나아가는 것
처럼 자기 현상에 나아가[婚媾] 그에 고유한 영원의 필연성을
인식해야 한다[貞]. 이렇게 자신을 배우면, 지금 당장은 초라해
보이는 자기 겉모습에 대해서 할 말이 없지만[不字], 배움의
시간이 쌓이면[十年] 반드시 자기 존재가 얼마나 성스러운지
자신 있게 말할 수 있게 된다[字].

4. 六三: 감정의 비극
육삼

六三: 卽鹿无虞, 惟入于林中. 君子幾, 不如舍, 往吝.
육삼 즉록무우 유입우림중 군자기 불여사 왕린

지금 자기의 감정을 떠나 미래의 환상에서 자기 행복을
구하려고 하면[卽鹿], 헛된 것을 쫓는 것이므로 참다운 행복으

로 인도하는 감정분석학[周易]을 잃어버린다[无虞]. 이는 마치 깊은 숲에서 길을 잃는 것과 같다. 자기 행복을 배우는 사람[君子]은 행복과 불행을 결정하는 생각의 순간[幾]을 이해함으로써 행복에 대한 오해를 물리쳐야 한다[不如舍]. 그렇지 않고 잘못된 생각의 길로 가면[往] 불행에 빠진다[吝].

5. 六四: 감정의 자기 치유
육사

六四: 乘馬班如, 求婚媾. 往吉, 无不利.
육사 승마반여 구혼구 왕길 무불리

자기 행복에 대한 잘못된 생각에서 내려와[乘馬班如] 자기 스스로 자기 안에 본래부터 존재하는 영원무한의 생명와 사랑을 이해해야[求婚媾] 한다. 그렇게 함으로써 오직 자기이해만을 따라서 살아갈 때[往], '나'는 최상의 행복을 누리는 축복을 받는다[吉]. '나'는 '다 좋은 세상'을 배우는 즐거움으로 살아갈 수 있다[无不利].

6. 九五: 감정분석학의 논리
구 오

九五: 屯其膏. 小貞吉, 大貞凶.
구오 둔기고 소정길 대정흉

'나'는 몸으로 생겨나 몸으로 살아가기 때문에 지금 자신의 몸[膏]을 영원무한의 생명과 사랑을 향한 믿음 안에서 굳건히 지켜야[屯] 한다. 이것이 행복의 방법이다. 지금 자신의 몸[小]에서 자기 존재의 진실을 이해[貞]할 때 신적 축복[吉]을 누릴 수 있지만, 자기 몸을 꾸며주는 현상을 극대화[大]하고 그것으로 자신을 이해[貞]한다고 하면 결국 불행[凶]에 갇히게 된다.

7. 上六: 감정의 자포자기
상 육

上六: 乘馬班如, 泣血漣如.
상 육   승 마 반 여   읍 혈 연 여

감정의 현상에 나아가 그것이 품고 있는 본성을 자기이해 안에서 명석판명하게 이해해야 한다. 그렇지 않고 행복을 밖에서 구하려다 다시 자포자기에 빠지기를 반복하면[乘馬班如], 끝내 반드시 알아야 하는 자기 진실을 이해할 수 없게 된다. 이때 자기 생각의 잘못을 후회하며 통한의 눈물을 흘리면 되겠는가[泣血漣如]?

4장. ䷃ 蒙: 매순간 새로운 감정

蒙
몽

1. 卦辭: 자기의 자기구원
괘 사

卦辭: 亨. 匪我求童蒙, 童蒙求我. 初筮告. 再三瀆, 瀆則
괘 사　　형　　비 아 구 동 몽　　동 몽 구 아　　초 서 고　　재 삼 독　　독 즉

不告. 利貞.
불 고　　리 정

'나'[龍]는 자기원인으로 살아가는[亨] 성스러운 존재이다. 그런데 나는 매순간 새로운 감정으로 존재한다. 따라서 '나'[龍]의 진실이 매순간 새로운 감정으로 존재하는 '나'[童蒙]에게 진리를 구하는 것이 아니라, 매순간 새로운 감정으로 존재하는 내가[童蒙] '나'[龍]에 고유한 진리를 구한다. (매순간 새로운 감정은[童蒙] 자기이해로 자기 본성[我]을 이해한다.) 감정으로 존재하는 '나[童蒙]는 자기이해의 자명으로 '자기'[我] 본래의 진리를 이해한다[初筮告]. 자기이해를 믿지 못해서 두 번 세 번 의심하면[再三瀆] 자기를 믿을 수 없게 된다. 결국 자기이해 안에서 명백하게 이해하는 자기 본래의 진실을 알 수 없다[瀆則不告]. 자기이해[貞]가 자기를 이롭게 한다[利].

2. 初九: 감정의 부자유와 질곡
초 구

初六: 發蒙. 利用刑人, 用脫桎梏, 以往吝.
초 육　　발 몽　　리 용 형 인　　용 탈 질 곡　　이 왕 린

감정으로 존재하는 '나'[童蒙]는 자기이해의 자명으로 '자기'[我] 본래의 진리를 이해한다. 그렇기 때문에 감정은 자기 본성이 아닌 '다른 것'[人]에 의해서 자기 감정이 결정되었다고 이해하면 안 된다[刑人]. 이로부터 감정은 자기원인으로 존재하는 자유를 누리게 된다[用說桎梏]. 그렇지 않고 외부 원인으로 자기[童蒙]를 이해하면[往] 자기는 자기 아닌 다른 것에 의해서 강제되는 부자유의 질곡에 갇히게 된다[吝].

3. 九二: 감정의 자기 배려
　　구 이

九二: 包蒙, 吉. 納婦, 吉. 子克家.
구 이　포몽　길　납부　길　자극가

감정으로 존재하는 '나'[童蒙]는 자기이해 안에서[包] 자기 존재의 성스러움[吉]을 이해한다. 감정이 자기 진실과 마주하는 '감정의 자기이해'는 마치 신랑이 신부를 맞이하는[納婦] 행복[吉]과 같다. 이러한 방식으로 감정의 진실을 이해할 때, '나'[童蒙:子]는 가족[家]의 행복을 지킬 수 있다[克].

4. 六三: 결핍증에 빠진 감정
　　육 삼

六三: 勿用取女. 見金夫, 不有躬. 无攸利.
육 삼　물용취녀　견금부　불유궁　무유리

감정으로 존재하는 '나'[童蒙]는 행복을 밖에서 구해서는 안 된다[勿用取女]. 자신의 행복이 황금(돈)에 있다고 생각하면[見金夫], 감정은 자기 몸[躬]이 품고 있는 생명과 사랑의 영원무한을 알 수 없다. 결국 감정은 지금 자신과 자기 생명의 성스러움을 이해할 수 없게 된다[无攸利].

5. 六四: 감정 인식의 오류
_{육 사}

六四: 困蒙, 吝.
_{육 사 곤 몽   린}

매순간 무한히 새로운 감정으로 존재하는 '나'는[童蒙] 감정 그 자체의 본성으로 '나' 자신을 이해해야 한다. 그렇지 않으면, 외부 원인에 의존하여 '나' 자신을 잘못 이해하는 질곡에 갇히게 된다[困蒙]. 그 결과 '나'는 마땅히 누려야 할 최고의 행복을 누릴 수 없게 된다[吝].

6. 六五: 감정 인식의 오류
_{육 오}

六五: 童蒙, 吉.
_{육 오 동 몽 길}

감정의 자기이해 안에서 감정의 순수지선을 이해하는 '나'는[童蒙] 감정과 행복에 대한 잘못된 이해를 뉘우침으로써 최고의 완전성과 최고의 아름다움으로 존재하는 '나'[我] 자신을 만난다[吉].

7. 上九: 감정의 자기구원
_{상 구}

上九: 擊蒙, 不利爲寇, 利禦寇.
_{상 구 격 몽   불 리 위 구   리 어 구}

감정으로 존재하는 '나'는[童蒙] 자신의 현상에 머물 것이 아니라[擊蒙], 자기 현상이 본래부터 품고 있는 자기 진실로서 영원무한의 생명과 사랑을 이해해야 한다. 그렇기 때문에 자기 생명과 사랑을 밖에서 구하면 안 된다[不利爲寇]. 자기 생명과 사랑을 밖에서 구하려는 생각을 막아야 한다[利禦寇].

5장. ䷄ 需: 믿음의 감정분석학
_수

1. 卦辭: 믿음의 학문
_{괘 사}

卦辭: 有孚. 光亨. 貞吉. 利涉大川.
_{괘사 유부 광형 정길 리섭대천}

자기 감정의 본성을 자기 스스로 이해할 때, 자기는 영원 무한의 생명과 사랑을 자기 진실로 믿는다[有孚]. 자기는 이 믿음과 함께 영원무한하게 빛나는 생명과 사랑으로 살아간다 [光亨]. 이 삶이 '자기이해' 안에서 누리는 성스러운 행복이다 [貞吉]. 이 행복을 누리는 사람은 '다 좋은 세상'을 향한 믿음 으로 '다 좋은 세상'을 배운다[利涉大川].

2. 初九: 자기이해의 자기믿음
_{초 구}

初九: 需于郊, 利用恒. 无咎.
_{초 구 수우교 리용항 무구}

'믿음'[有孚]으로 살아가는 '나'는[龍] 달동네[郊] 같은 열악 한 환경이나 조건에 처해서도 자기 존재의 진실을 변함없이 [恒] 지킨다. 자기 본래의 행복을 자기 스스로 확인한다[无咎].

3. 九二: 자기믿음의 자기구원
_{구 이}

九二: 需于沙, 小有言. 終吉.
_{구이 수우사 소유언 종길}

'믿음'[有孚:需]으로 살아가는 내가[龍] 집도 없는 빈 손으로 살아갈 때[沙], 사람들로부터 '도대체 믿음이 무슨 소용인가?'라는 업신여김을 받을 수 있다[所有言]. 그러나 '믿음'[有孚]으로 살아가는 '나'는[龍] 결국 자기 믿음이 주는 보상을 받게 되어 있다[終吉].

4. 九三: 자기이해의 정신력
     구 삼

九三: 需于泥, 致寇至.
  구 삼 수 우 니   치 구 지

'믿음'[有孚:需]으로 살아가는 내가[龍] 극도로 궁핍한 처지에 놓이게 되었을 때[泥], '나'는 생명과 사랑의 진실에 대해서 의심하게 된다[致寇至].

5. 六四: 자기 몸을 바로 보기
     육 사

六四: 需于血, 出自穴.
  육 사 수 우 혈   출 자 혈

'믿음'[有孚:需]으로 살아가는 내가[龍] 생명의 위태로움[血] 앞에서도 자기 믿음을 굳건히 지킬 때, 마침내 나는 나의 행복을 구속한[穴] 삶의 모든 현상 및 조건으로부터 '나' 자신을 자유롭게 한다[出自穴]. 다 이루었나이다!

6. 九五: 자기믿음의 경제
     구 오

九五: 需于酒食, 貞吉.
구오 수우주식 정길

　　삶의 모든 순간을 오직 영원무한의 생명과 사랑을 향한 '믿음'[有孚:需]으로 살아가는 '나'는[龍] 자기 믿음 안에서 자기 몸의 생명을 보살핀다[酒食]. 자기이해에서 나오는 자기 믿음 안에서 삶의 모든 순간들이 최고의 완전성과 최고의 아름다움으로 존재하고 있다는 사실을 확인한다[貞吉].

7. 上六: 본래 다 좋은 세상
상　육

上六: 入于穴, 有不速之客三人來, 敬之, 終吉.
상육 입우혈 유불속지객삼인래 경지 종길

　　'믿음'[有孚:需]으로 살아가는 '나'는[龍] 생명의 진실 안에서 세상에 나아간다[入于穴]. 달동네, 집 없는 빈 손, 극도의 궁핍 등 그 어떤 삶의 현상이 '나'에게 찾아와도[有不速之客三人來] '나'는 자기 존재의 진실을 믿고 지킨다[敬之]. 마침내 '다 좋은 세상'을 믿고 배우는 최고의 행복을 받는다[終吉].